KU-050-782

ɔr
ɪə

NARRATORI MODERNI

PIER CARLO RIZZI
L'EREDITÀ DELLO ZIO GUIDO

GARZANTI

Prima edizione: gennaio 2005

ISBN 88-11-59757-9

www.garzantilibri.it

L'EREDITÀ DELLO ZIO GUIDO

Ero un sacco di sabbia.

Nubi immobili e immacolate si scambiavano con l'oceano nello spazio del finestrino; non sembrava neppure di volare, solo sospesi. Non partivo, non giungevo, non precipitavo; indifferente al sole di sopra, alle nuvole cangianti, che si vedevano di sotto, alla tecnologia, che ci trasvolava da un continente all'altro.

«C'è un posto finestrino?»
«Sì!» rispose compiacente l'hostess di terra.
«E uno di corridoio?»

Nella babele dello spazio aeroportuale gli avevo intimato di sorvegliare i bagagli mentre mi recavo alla registrazione dei posti. Non avevo retto all'idea di sentirlo «ablare» ancora per quattordici ore. Solo! avevo pensato; almeno al ritorno.

«Problemi?» mi chiese sospettoso.
«No... ma due posti vicini non c'erano. Mi dispiace... dobbiamo viaggiare separati.»

Per venti giorni, nei quali avevo ricollocato almeno tre esistenze, non si era dato il minimo pensiero di travolgermi con le sue confidenze; ne avevo abbastanza. Sistemai così la sua, qualche posto più avanti.

Di tanto in tanto mi scostavo dalla fusoliera imbottita scrutando tra le nuche che sporgevano dai sedili per individuare la testolina di Leonìno; pronto però a ritrarmi, quasi a nascondermi, nell'eventualità di incrociargli lo sguardo. Era inquieto, nervoso; tuttavia attento al passaggio delle inservienti di bordo.

Il vicino a fianco mi sbirciava, per capire cosa stessi cercando. Lo guardai; ci scambiammo un sorriso di convenienza, e voltai la testa dall'altra parte.

Tolta la carognata dei posti annodata allo stomaco, tutto mi appariva più in ordine, anche se un ordine un po' sbilenco privo di logica privato di massa, e provavo una pace e una quiete sconosciute.

Stremato, non feci nulla per impedire alla sonnolenza di prendermi, e il ronzio monotono dei motori non poteva essere viatico migliore. A casa e amen!

Mi lasciai andare, appisolandomi sull'Atlantico.

Ero ancora assonnato.

Se Mario non mi avesse chiamato mentre ci incrociavamo nell'androne del centro commerciale, lo avrei superato senza vederlo. Tornava dalla spesa con il carrello carico di compere; erano le dieci. Dopo avermi chiamato non aggiunse altro.

Ci abbracciammo.

«Cosa sono? Tre settimane?»
«Precise oggi», rispose imbarazzato.
Non ci vedevamo dal giorno del funerale.

Accettai il caffè che volle offrirmi al bar della galleria. Ci sedemmo a un tavolino. Venne la cameriera e prese l'ordinazione.

«Sai di un testamento lasciato da mio zio?»
«No. Non saprei», disse perplesso.
«Leonìno insiste che deve esserci da qualche parte un testamento.»
«Come lo sa Leonìno?»
«Dice che gliene aveva parlato il Cècco. Un anno prima che la malattia...»
«Un anno prima?»
«Già.»
«Sinceramente non lo so. Con me non ha mai parlato né di lasciti né di testamenti. Di quando in quando si

scherzava sul suo "castelletto" in banca: i famosi "Cinquecentododicimilioni!" senza la maturazione delle ultime cedole, e aggiungeva, ridendo, che si sarebbe ricordato di noi; ma ho sempre pensato che fossero delle simpatiche sparate. A mia volta ironizzavo sulla sua parsimonia catto-comunista pareggiandola a quella dei devozionisti cattolici.»

«Scusa, ma questa non l'ho capita.»

«Che era, né più né meno, come i cattolici, che intercedono per qualcuno nelle preghiere al Santo per non intaccare il capitale.»

«Quindi non sai niente?»

«No! Ma non ti aveva trasferito tutti i suoi averi?»

«Non mi ci raccapezzo. Non è di Leonìno insistere su una cosa inventandosela.»

«Magari non ha colto lo scherno del Cècco. A Leonìno devi dire che una barzelletta è finita perché capisca che può ridere.»

«Pensavo proprio di aver chiuso tutte le faccende.»

«Non saprei che dirti. La tomba a che punto è?»

«Mi hanno detto qualche mese... deve assestarsi il terreno.»

Arrivarono i caffè; silenziosi li bevemmo.

«Scusami ma devo andare», disse rompendo gli indugi, «altrimenti mi si spezza la catena del freddo e addio surgelati. Fammi sapere quando sistemano la tomba.»

Sembrava sfrigolare sulla carbonella.

«Ti dico che deve esserci. Cercalo! E vedrai che lo trovi! Me l'ha detto chiaro che si sarebbe ricordato di me alla sua "dipartita" come la chiamava lui.»

Non era una questione venale, ne ero certo, era solo la curiosità di sapere quanta fosse la stima dell'amico scomparso; l'unico da cui si lasciava zittire quando esagerava; ma per Leonìno, e lo zio lo sapeva, l'esagerazione era solo una ridondanza di toni e modi che riguardavano altri, non lui. Un tipo originale? Una miscela di remore e licenze intimamente mescolate senza mai combinarsi.

Dava spesso l'impressione di un piccolo mitomane, piccolo per la statura; non più a me che ne avevo constatata e apprezzata, per il tempo della malattia dello zio, la sensibilità; anche se il più delle volte le posture monumentali e tragiche che assumeva, avrebbero fatto ridere chiunque.

Non era la stessa cosa per i parenti che mi telefonavano con ben altre allusioni.

«Come stai? Bene? Possibile che non abbia lasciato qualcosa... delle volontà...? Proprio niente?»

Lo avevano sempre invitato alle loro feste comandate.

«Non possiamo non invitarlo, è solo!»

11

Nel culto del lavoro e dei soldi erano tutti «sistemati» e le mogli esibivano la «sala» tirata a lucido insieme ai mariti vestiti a festa.

«Pensa te che razza...» bofonchiava, dimenticando il legame di parentela, ma subito dopo i saluti, mi sembrava di sentirlo: «Ostia, abbiamo anche lo sciampàgn! E se c'è lo sciampàgn ci sono le paste, e se ci sono le paste... le palanche non mancano!»

Li provocava portando loro in regalo libri. Libri «di parsimonia», diceva, di carattere politico, allegati gratuitamente all'unico giornale che entrava in casa sua, e li avvolgeva nella pagina della testata: Che fare?, La questione operaia, Russo: manuale di conversazione.

«Il russo?... grazie», e gettavano subito la pagina che li impacchettava.

«Lavati subito le mani sennò ti resta attaccato l'inchiostro e magari qualche idea.»

Mi sembrava di vederli: al terzo bicchiere cominciavano a stuzzicarlo sulle sue avventure indiane e sudamericane, fino alle insinuazioni sul «capitale» accumulato in anni di lavoro.

«Sai solo tu quanti ne hai!»

«Cinquecentododicimilioni!, senza il "buon frutto" delle ultime cedole.»

Ma Leonìno era diverso, e per tagliare corto gli domandai se, per caso, data la confidenza, sapeva dove avrebbe potuto custodire il testamento.

«Di certe cose non si parlava», aggiunse perentorio, «però, se mi ha detto che c'è, deve esserci.»

«Non vorrei tu avessi frainteso», dissi cautamente, «è vero che, qualche mese prima di morire, lo zio mi aveva raccomandato di ricordarmi di te e di Ausilia per come vi siete prodigati, ma di disposizioni scritte non mi ha mai accennato. Non è che, magari... era solo un modo di scherzare sulla sua fine?»

Il suo sguardo fulminante si piegò alla misericordia risparmiandomi.
«Il Cècco non scherzava mai su certe cose!»
«Cercherò meglio.»

Dal giorno del funerale non avevo più toccato niente in casa sua.

C'ero andato un paio di volte con la scusa di controllare il gas, l'acqua, non so che altro; ben sapendo che non c'era nulla da controllare. L'unica cosa vitale era un'enorme pianta di salvia che teneva sul terrazzino del cortile interno del caseggiato; non certo in un vaso, ma in un fusto di plastica blu, tagliato per metà in verticale e steso a terra come una fioriera. Dimenticata per tutto l'inverno, si era rinvigorita con le proprie forze, in un febbraio primaverile, occupando tutta l'altezza della ringhiera. Mi sembrarono sfacciati quei virgulti profumati.

La seconda volta avevo cercato, ma senza convinzione, qualcosa che potesse sembrare un testamento. Del resto non me ne aveva mai parlato, e quanto c'era stato da fare in quelle circostanze mi aveva imposto di farlo prima che morisse.

Un cugino, bancario, marito di una delle tante nipoti, mostrava di essere ben informato sulle sostanze dello zio; senza sapere che, un mese prima della morte, proprio a causa di alcune sue allusioni durante una visita in ospedale, mi aveva obbligato a trasferire tutto quanto era depositato sul suo conto.

Al mio diniego, mi ordinò di prendere contatto con un comune amico, anch'egli funzionario di banca, e che questi facesse quanto necessario.

«Ma non è il caso», gli dissi, «tra poco guarisci.»

«Certo, guarisco! Chiama Sensini, e vieni qui con lui. I tuoi parenti stanno venendo a trovarmi troppo spesso.»

Quando il male cominciò a inviare i primi segni, volle intestarmi l'appartamento con un regolare contratto di compravendita, e quel trasferimento dei fondi a mio nome fu l'ultima firma in calce alla vita e alla fiducia nella medicina.

Dieci giorni prima che morisse, mi chiese di convocare in ospedale i parenti.

«Tutti?»

«Tutti quelli che riesci a trovare.»

«Va bene! Ma cosa devo dire loro?»

«Che voglio vederli. Tutti insieme. Domenica sera.»

Era solo giovedì, e per rintracciare tutti avrei dovuto fare una quindicina di telefonate e sentire zii, cugini, di cui ricordavo a malapena i volti da quanto non li vedevo.

Rabbuiato da un brutto presentimento domandai ai medici se la sua richiesta poteva comprometterlo ulteriormente.

Sorpresa dalla domanda, l'oncologa mi fissò meravigliata per un bel po' prima di rendersi conto del mio cedimento.

«Mi scusi. Ero soprappensiero», disse con garbo.

«Sono io che mi scuso di disturbarla, ma da alcuni giorni mi sembra più strano e bizzarro del solito.»

«Cosa intende per strano e bizzarro?»

«Quasi sempre dorme, e quando si sveglia, molto spesso non mi riconosce. A volte poi mi parla in inglese, altre volte ancora, in spagnolo.»

«Lei sa che somministriamo alternativamente la morfina a antidolorifici più blandi», disse rammaricata.

16

«Certamente.»

«È stato per caso all'estero suo zio?»

«Sì! Da molto giovane.»

Si abbandonò allo schienale della poltroncina. Sembrava si fosse arresa a un nemico, e dopo un attimo di smarrimento, raccolse le energie necessarie per produrre un nuovo sforzo.

«Cosa crede che stia accadendo? Sente che la vita se ne sta andando, e raccoglie a sé tutto ciò che conosce e da cui è conosciuto. Capita che in stato di incoscienza la mente viaggi afferrando appigli inconsci, piccole terre, linguaggi, senza una scansione temporale precisa, provocando una gran confusione...»

Sembrava ripetere una lezione. Lo sguardo colpiva un punto focale oltre il telefono, fissandosi sopra il pensiero di ciò che stava dicendo.

«...e nel marasma affiorano alternativamente cose realmente vissute con altre rimaste solo intenzioni, proiettando situazioni accadute su altre solo pensate, desiderate, magari chissà quando.»

«Mi scusi non volevo...»

«Lei fuma?»

«Sì», risposi interdetto.

«Andiamo a fumarci una sigaretta.»

«Tu mè imparato italiano. Tu non malato. Cattivo bad. Tu quarire sir. But for that ultimo de fila boys.»

Il boy, assunto dalla Compagnia Romanda Agar-Agar Internaziunala and Carruba Indian Company, trottava, al doppio dei passi dei barellieri, che dirigevano la lettiga per il corridoio.
«Sir Cathedral Drive, quarire, tu italiano buono.»

La manina di undici anni levava i lucciconi che correvano sul viso, e si posava poi umida sul dorso della manona di lui che stringeva l'altra palmo a palmo.
«Io te quarire with soul river of tears.»
«Non capisco quello che dici boy.»
«Perché tu malato? Io ora solo. Ultimo de fila.»

Al primo gradino gli infermieri alzarono prudentemente la lettiga, e con affanno scesero l'ampio scalone dell'Hotel Maharaja cercando di evitargli scossoni, come raccomandato dal medico accompagnatore. Il piccolo boy non mollò la presa neppure per le scale, malgrado il direttore della fabbrica tentasse di allontanarlo.

Era a Bombay da otto mesi con in tasca un ingaggio che neppure un pascià avrebbe potuto sognare. Albergo senza limite di spesa e di servizio, la camera con annesso soggiorno, boy a disposizione sette giorni su sette,

18

ventiquattro ore su ventiquattro fuori dalla camera, per sbrogliarsi con l'inglese, i dialetti indù e la megalopoli indiana. Perfino il biglietto aereo di andata e ritorno due volte l'anno. «...e se desidera, ogni sei mesi può tornare a casa per quindici giorni.» Oltre, naturalmente, all'indispensabile assicurazione sulla vita.

In tre minuti fece i conti. Gli sarebbe bastato lavorare tre anni, a testa bassa, senza respiro, e si sarebbe sistemato almeno per altri quindici.

Solo quell'ultima voce dell'assicurazione sulla vita gli aveva fatto controllare i conti tre minuti di più.

«Cosa mi potrà mai capitare?»

Il clima torrido, i tramonti insanguinati di certe sere, le vacche sacre che per strada doveva ogni volta schivare senza venerazione, gli avevano inferto un colpo alla schiena bloccandolo a letto per quindici giorni.

Il medico dell'azienda non aveva saputo individuare la causa del malessere, e la scarsità dei mezzi diagnostici di cui disponeva, gli aveva fatto suggerire alla Compagnia Romanda di ricorrere a ospedali europei meglio attrezzati.

«Deve essere il caldo umido. Non ho mai avuto niente alla schiena.»

La gente nella hall si era fermata incuriosita a guardare.

Arrivati all'ambulanza il direttore, dall'accento tedesco, trascinò il piccolo boy staccandolo con decisione dal Cècco che si voltò d'istinto cercando le piccole mani che l'avevano abbandonato.

«Cosa cazzo sta facendo al ragazzo?»

«Lo allontanavo per poterla caricare sull'ambulanza.»

«Ed è quello il modo?»

«Signor Duomo non gli ho fatto niente, l'ho solo allontanato.»

19

Il piccolo boy si riavvicinò al Cècco attaccandosi al braccio.

«Lo lasci salire.»

«Signor Duomo, non possiamo, non è previsto.»

«Se costa di più pago io e me lo togliete dalla diaria.»

«Non è questo; è proibito, a loro, di entrare in aeroporto dall'ingresso di servizio.»

«Come boy, monta.»

Non c'era urgenza di raggiungere l'aeroporto ma l'infermiere alla guida dell'ambulanza azionò la sirena per farsi strada nel traffico della metropoli.

«Tu non vuole quarire sir. Io te bravo boy, ever fuori porta di room. Sempre bed linen in perfect order, nigth and day fuori porta. Te fatto massaggiare indian women very good.»

«Boy, ostia! Non farmi pesare tutto. Sono l'unico che ti ha fatto dormire in camera e non fuori dalla porta. Ti ho dato anche una brandina ma hai continuato a dormire per terra. Crapone indiano!»

«Prendere con te piccolo boy.»

«Non posso. Dio madòna!»

L'autista aveva spento la sirena.

Il direttore con il medico e un altro funzionario della Compagnia seguivano in macchina l'ambulanza che viaggiava sulla grande arteria verso l'aeroporto internazionale a velocità moderata e costante.

Fermarono al cancello dell'ingresso di servizio. Il direttore della fabbrica scese dall'auto presentando al guardiano i documenti che permettevano al convoglio di entrare sulle piste di decollo. Aprirono il cancello.

Le manine undicenni strinsero imploranti la manona del Cècco che voltò la testa verso il piccolo boy, le cui pupille, rotonde e nere, ingigantivano nel pianto mentre un moccio vischioso gli colava dal naso mischiandosi con le lacrime.

«Ostia! Non piangere che mi fai morire.»

Incurante del dolore, Cècco si girò verso il piccolo boy e gli prese il viso tra le mani impiastrandosi. Aprirono i portelloni del mezzo. Gli infermieri sollevarono di peso il ragazzino e lo fecero scendere dall'ambulanza.

Il medico della fabbrica, richiamato da un lamento del Cècco, salì sul mezzo. Vide la smorfia di dolore.

«Non si muova.»

Prese dalla valigetta una siringa e una fiala.

«Cosa mi sta facendo? Sto bene! Mi sono solo girato sul fianco in malo modo.»

«Stia buono per favore. Era già previsto che all'imbarco le si facesse un'iniezione di sedativo. Le ore di aereo sono molte, con questo viaggerà senza dolori fino a Zurigo riuscendo a stare seduto sul sedile dell'aereo.»

«Mi sta drogando?»

«Signor Duomo...» e lo punse due volte all'altezza degli erettori dorsali.

Gli infermieri presero la portantina e la sfilarono dall'autolettiga. Il medico tratteneva a sé il piccolo boy che, ormai rassegnato, teneva le mani giunte alla maniera indù.

«Ciao piccolo boy.»

«Ci-i-ao, i-i-talia-no bu-bu-ono.»

Singhiozzando, accennò riverente un lieve inchino.

Il direttore della fabbrica con gli infermieri accompagnò Cècco fino alla scaletta dell'aereo.

«Aspettate.»

Con un cenno chiese al direttore di avvicinarsi.

«Lo so che avete una fila di boy che aspettano il servizio e che li alternate svizzeramente senza preferenze. Faccia un'eccezione. Lo assegni subito al tecnico che mi sostituirà.»

«Vedrò di fare il possibile.»

«No! Non deve vedere, deve farlo! Appena mi sono rimesso torno qui a controllare, e se non l'ha fatto le spacco la testa con la chiave inglese del due pollici.»

Lontano, davanti al dottore, il piccolo boy si era inginocchiato.

«Lo zio Cècco vuole vedervi. Tutti insieme», dissi loro convocandoli telefonicamente con il tono che avrebbe usato lui.

Mi recai in ospedale in anticipo sull'orario di visita, temendo che i parenti contattati non venissero. Dormiva. Lo svegliai cautamente dicendogli di aver fatto quanto mi aveva chiesto.

«Svegliami quando arrivano.»

Arrivarono tutti, e mi sembrarono vestiti a festa più di altre domeniche. Le mogli erano anche profumate. Arrivò anche Leonìno che da tempo gli faceva visita sia il mattino che la sera.

La devastazione del male, qualche giorno prima, gli aveva provocato un'emiparesi, dapprima solo facciale, poi estesa alla parte destra del corpo.

Quando tutti fummo attorno al letto mi si rivolse con voce impastata ma decisa.

«Tu, va' fuori dalle balle! Anche tu Leonìno, vai a fumarti una sigaretta.»

Uscimmo in corridoio, poi sul pianerottolo delle scale che davano al reparto. Ci accendemmo una sigaretta. Un'aspirata profonda recuperò anche il fumo che saliva verso l'alto fuori da bocca e naso. Ci cadde lo sguardo sull'indicazione del reparto. Oncologia.

«Ma pensa tè! Son dentro che crepano di tumore e

noi siamo qui a tabaccare sotto la reclàm del cancro», disse Leonìno scuotendo la testa.

Dopo un quarto d'ora uscì la prima zia. La fissai con apprensione per carpire qualcosa. Mi salutò cortese.
«Pensi che possa entrare?» le chiesi.
«Sì, sì!» rispose con un sorriso malizioso.
«Ha detto qualcosa che mi può riguardare?»
«Non ho capito niente! Ha parlato straniero tutto il tempo. L'unica parola che ho sentito è *cabrons, cabones?*» balbettò guardandomi interrogativa. «Sai cosa vuol dire?»
Feci un cenno di meraviglia.
«È proprio conciato male», disse, e si avviò per le scale.

Lasciai Leonìno sul pianerottolo. Altri cugini uscivano dalla camera e mi salutarono. Era rimasta solo una sorella dello zio, ma anche lei si stava congedando con le lacrime agli occhi.
Era stanco. Sembrava che stesse per assopirsi, quando mi fece cenno di sistemargli il cuscino un poco più in alto.
«C'è qualcosa che devo sapere?» gli chiesi mentre ero chino su di lui.
«Gli ho detto che tu sai tutto e sai anche cosa fare, di non romperti i coglioni, e di non venirmi più a rompere le balle a me.»
Mi guardò per un breve momento e si sistemò voltandosi faticosamente sul fianco.
Da allora gli sprazzi di coscienza furono rari e sempre più sofferti per i dolori che la metastasi ossea gli procurava. La morfina gli diede sollievo per cinque giorni ancora dopo i quali spirò.
Fui l'unico a occuparmi delle esequie, come aveva preteso, e il gelo degli uffici amministrativi di varia pertinenza che lo riportarono in vita ancora per qualche giorno, sferrò l'ultimo colpo al mio stato d'animo.

L'ultimo cruccio era il testamento, che Leonìno sosteneva dover esistere.

«Me l'ha detto lui che lasciava delle volontà.»

La partecipazione dei parenti al mio dispiacere durò pochi giorni, dopo i quali ogni premura mi sembrò una velata minaccia di azioni legali, tanto da augurarmi che quelle volontà scritte esistessero per davvero.

Che si fosse rivolto a qualche notaio?

Non era da lui una cosa simile, ma volendo mostrare ai parenti la mia buona volontà, mi recai negli uffici dell'Ordine per sapere se presso qualche professionista fossero depositati documenti a nome di Guido Duomo. La risposta fu negativa.

Trascorsero due mesi, prima che mi decidessi a ritornare in casa dello zio. Più nessuno aveva passato uno straccio. Era in uno stato pietoso.

Girata la chiave nella toppa, dovetti forzare per aprire la porta, ostacolata dalla corrispondenza che il postino, sapendo che non sarebbe più stata ritirata dalla cassetta, aveva infilato sotto l'uscio per tutto il tempo.

Appoggiai tutto sul tavolo. Tranne una bolletta della luce e un avviso che lo invitava a rinnovare la tessera sanitaria, era tutta reclame. Lo stato di desolazione gridava allo scandalo. Uscii subito.

Mi recai alla casa accanto, dove abitava Annunciata, sua buona amica, per incaricarla di mettere ordine e fare un po' di pulizia.

Se ne era già occupata durante la degenza in ospedale, «...così quando torna, trova tutto a posto», e più volte si era offerta di aiutarmi, «se chiedi a qualcun altro mi fai un torto. Io e tuo zio... va be'... lasciamo perdere».

«Rovista pure nei cassetti», le dissi, «ma non buttare niente per favore.»

«Volentieri, volentieri. Mi sembrerà di lavorare ancora per il partito come ai tempi dei festival.»

20 dic. 1994

Per vari motivi mi accingo a mettere per scritto le mie volontà in caso di mia dipartita della quale vorrei fosse il più tardi possibile.

1 Tutti i miei averi saranno amministrati da mio nipote Valerio

2 lascio 30 milioni al giornale «l'Unità»

3 lascio 5 milioni al mio amico Leonìno

4 lascio 5 milioni al mio amico Mario Mazzoleni

5 lascio 5 milioni a mia nipote Virginia

6 lascio 5 milioni a mio nipote Dario

Non voglio essere messo sul giornale e farai un funerale il più modesto possibile e deve essere civile.

Il resto è tutto tuo ne farai quello che vorrai

ciao Valerio, zio Guido.

Non fu un sollievo, ma una vera liberazione.
Annunciata mi telefonò di aver trovato nel cassetto del tavolo in cucina, sotto il portaposate, una busta chiusa con del nastro isolante.

«C'è scritto sopra "per mio nipote Valerio".»

LEI *GUIDO DUOMO* È IL MILIONARIO FORTUNATO
PRESCELTO DAL COMPUTER
NON PRENDA A CALCI LA FORTUNA!

Non poteva che essere sua. Era di recupero, con l'intestazione di una qualche società che promuoveva delle fortunate vincite milionarie se si acquistava una serie di padelle antiaderenti di ultima generazione.

Il ritrovamento mi sollevò da un disagio diventato insopportabile. Cominciavo, senza ragione, a sentirmi un ladro. Fui quindi felice di inviare a tutti i parenti una copia della lettera, in maniera che non mi tormentassero più.

«Que quiere comer?»

Sollevai le palpebre. Gli occhi si ritrovarono puntati sulle nuvole di probabili ottomila metri. Credetti di vedere un treno nella candida bambagia, ma doveva essere solo l'avanzo di un sogno.

«Caballero, quiere comer algo?» insistette cortese l'hostess trattenendo in una mano una caraffa di succo d'arancia e nell'altra degli enormi bicchieri di plastica.

«No gracias, nada», risposi distratto.

Tra le file di sedili vidi Leonìno che, in piedi, si agitava per richiamare la mia attenzione. Gli feci un cenno d'intesa. Vivace, mi indicò a gesti che passavano a distribuire cibo. Gli risposi, mimando, che ero stanco e preferivo dormire. Scattò nella mia direzione, percorrendo deciso il tratto di corridoio che ci divideva.

«Non ti offendi se io mangio?»

«Figurati. Non siamo mica a tavola. Io preferisco dormire, sono stanco.»

«Dormi, dormi, io mangio. Se vuoi ti sveglio più tardi...»

Tornò al suo posto disponendosi sulla poltrona in maniera tanto esplicita che l'hostess non dovette neppure chiedergli se voleva essere servito. Il mio vicino di posto mi osservava con la coda dell'occhio.

Erano trascorse tre settimane ma mi sorprendevo ogni

volta. I primi giorni avevo persino pensato che mi prendesse in giro e ancora non capivo come facesse a passare da un'innocenza infantile a una materialità animalesca.

Guardai di nuovo fuori dal finestrino e ancora accompagnato dalla monotonia dei motori e rassicurato che non ci fossero treni che si inerpicavano per le nuvole sottostanti, ripiombai nel sonno interrotto.

«Pronto, Mario?»

«Sì?»

«Sono Valerio.»

«Ciao, come va?»

«Non c'è male. Scusa se ti disturbo, ma volevo dirti che ho ritrovato il testamento del Cècco.»

«Allora aveva ragione Leonìno!»

«Sì aveva ragione. Non che l'avessi dubitato, ma sai...»

«Ti capisco.»

«Tra l'altro, sei nominato anche tu nel testamento.»

«Come anch'io? In che senso?»

«Nel senso che ci sei anche tu, oltre a Leonìno, e a due miei cugini.»

«Ossignùr, non me l'aspettavo. Non ne sapevo proprio niente.»

«Io sono solo contento. Così ora so cosa fare. Pensavo di dartene una copia.»

«Mi farebbe piacere. Non so cosa dirti, sono confuso. Non me l'aspettavo proprio.»

«Domani è sabato, vai sempre a fare spese al solito supermercato?»

«Sì.»

«Allora possiamo trovarci al bar del centro commerciale.»

«D'accordo, ci vediamo domattina.»

«Mario?»

«Dimmi.»

«Mi avevi promesso che mi avresti aiutato a farla finita. È arrivato il momento. Sono stufo di patire.» La richiesta era precisa.

Mario, ammutolito, lo guardò con apprensione.

«Non sopprimi niente e lo sai, tra quindici giorni sarò comunque morto. È inutile continuare a soffrire. La sofferenza non porta a niente. Serve solo agli intellettuali per scrivere libri. Se sei un amico, dammi una mano. Ne hanno appena portato via uno stamattina, non c'è nessuno e le infermiere vengono solo se suono il campanello e già pronte con la siringa di morfina.»

«Io non sono convinto che non si possa fare più niente.»

«Smettila di prendermi in giro. A Valerio non posso chiederlo, a Leonìno tanto meno; solo tu puoi farlo.»

Le parole erano deboli, impastate, ma senza timori. Mario, allibito, lo guardava con la morte nel cuore. Non avrebbe mai immaginato che gli fosse ricordata una promessa fatta un anno prima, per tagliar corto a discorsi tediosi.

«Prendi quel cuscino, me lo metti sul muso e lo tieni così finché non mi muovo più.»

«E di te cosa mi lasci?»

«La soddisfazione di non avermi fatto soffrire inutilmente, e quella di farmi un favore che non posso chiedere ad altri.»

L'onnipotenza che Cècco gli offriva lo sconvolse. Sarebbe bastato dirgli che non aveva il coraggio, o la forza,
di fare quello che gli stava chiedendo. Il Cècco avrebbe
capito.
Invece mentì.

«Lo vuoi davvero?»
«Sì!»
«Allora lo facciamo scientificamente. Lasciami solo
un paio di giorni.»

Fu la prima volta, da che si conoscevano, che si guardarono per più di dieci secondi negli occhi. Cècco allungò la mano verso quella di Mario, gliela strinse con la
forza che gli era rimasta, e gli mandò un sorriso riconoscente.
«Per mangiare la merda non basta il cucchiaio, ci vuole il coraggio!»

Erano le otto e venticinque.

Quando arrivai al bar della piccola galleria che tagliava l'edificio commerciale, Mario era a un tavolino con davanti una tazzina di caffè ancora fumante. Non doveva essere arrivato da molto.

«Sei stato a gamberi? Ci hai una faccia che deve ancora andare a letto.»

«Il venerdì sera è sempre un problema andare a letto.»

«Insonnia?»

«Insonnia di scopa. Ci troviamo in quattro, e tra scopa, tressette e cotecchio, si fa quasi mattina.»

Per arrivare puntuale ero uscito di furia.

In bocca avevo il saporaccio del bicchiere della staffa, non avevo ancora fumato la prima sigaretta e lo stomaco sembrava non riuscire a digerire la serata. Sentivo gli occhi pieni di chicchi di riso e dovevo avere un aspetto orribile. Ordinai un cappuccino dopo aver preso una brioche. Tornai al tavolino addentando il dolce e mi sedetti.

«Dopo una ciucca... pane a piombo!» disse con una smorfia di scherno.

«Mezza, solo mezza per fortuna», risposi a bocca piena.

«Allora... mezzo pane a piombo.»

«Fortunatamente ci incontriamo solo il venerdì.»

«Tutti i venerdì?»

«D'estate quasi mai.»

35

Arrivò la barista con il cappuccino. Presi una bustina di zucchero, ma faticavo ad aprirla con l'altra mano impegnata a trattenere la mezza brioche rimasta. Mario mi prese la bustina, la strappò e la vuotò nella tazza. Lo zucchero rimase per un attimo sospeso sulla schiuma prima di affondare. Rimestai, e diedi subito due sorsate. Misi in bocca l'ultimo pezzo di cornetto con ingordigia, finendo di bere il cappuccio in un sol fiato.

«Meglio ora?» disse leggendomi un po' di sollievo sul volto.

«Molto meglio. Molto meglio. Non so quanto durerà, ma va molto meglio.»

Mi pulii le labbra, e presi dalla tasca della giacca la busta con la fotocopia del testamento.

«Eccoti!»

Ebbe un'esitazione. Mi fissò intimorito prima di prenderla e la rigirò un paio di volte prima di aprirla. Dispiegò il foglio. Era visibilmente emozionato. Lo lesse con attenzione. Arrivato in fondo scosse leggermente il capo, prima di riprendere dall'inizio una seconda lettura. Gli occhi gli divennero lucidi e represse un singhiozzo, prima di ripiegare la fotocopia nella busta.

Rimase silenzioso per un po'.

«Puoi lasciarmela?»

«Te ne ho fatto apposta una copia.»

Doveva esserci stato un profondo affetto, tra lui e lo zio, nonostante la differenza di almeno venticinque anni, ed era evidentemente sorpreso da quel gesto.

«Che testa», commentò sottovoce, «ha messo prima gli amici dei parenti, e prima degli amici, il suo giornale.»

Prese dalla tasca un fazzoletto e lo premette sugli occhi.

«Con questo, ti sei tolto un peso dallo stomaco», disse con una smorfia malinconica.

«Non ne sono sicuro.»

«Cosa intendi dire?»

«Che ho esaudito le sue volontà con la preoccupazione di un burocrate zelante e che mi ritrovo con un pugno di mosche.»

«Fatico a seguirti.»

Anch'io faticavo a seguirmi. L'effetto della serata mi occupava la testa al posto delle parole giuste che avrei voluto trovare.

«Al di là del testamento, dei parenti, e tutto quello che è successo in questi due anni, da quando lo zio ha cominciato a stare male, ho sempre fatto quanto mi ha chiesto, senza discutere, occupandomi solo delle sue cose. Di lui, come persona, la sua vita, il suo passato, non so praticamente niente. Pensa che a mio padre, che era suo fratello, si rivolgeva chiamandolo per cognome. Duomo! Non Enrico. D'accordo, mio padre era il primo di una sfilza e lui l'ultimo, ma... che cavolo... erano fratelli!»

«Ti manca?»

«Non lo so. Quando ci penso mi si accappona la pelle. Ho l'impressione che l'abbiate conosciuto meglio voi; tu e Leonìno, intendo.»

«Potrebbe essere ma secondo me si tratta di dettagli, di particolari; non me ne farei un patema.»

«Scusami, ma a volte mi sembra di essere senza sangue. E poi dobbiamo fare le spese, e ti sto facendo perdere un sacco di tempo.»

«Già, le spese. Ma cosa intendi fare ora?»

«Volevo chiederti di darmi una mano; non tanto con i parenti ai quali ho già dato una copia dello scritto, ma con il giornale: non so chi contattare e come formulare la donazione.»

«Non vorrai mica tenerteli?»

Rimasi di stucco.

«Intendevo solo dire che non so come fare», aggiunsi imbarazzato, «non capisco se devo darli al picì, al pidiesse, a rifondazione... sta cambiando tutto.»

Prese un'aria severa. Mi ricordò lo zio.

«Lui parla del giornale. Non mi sembra si possa intendere in modo diverso.»

«Certo che no. Dico solo che non so se passare dalla federazione o come altrimenti fare.»

«D'accordo», disse convinto, «del giornale mi occupo io.»

Chiacchierammo per almeno un'ora, di quando c'era lui, delle sue originalità, delle sue partite a carte, dei racconti della sua gioventù, della prigionia, dell'India, dell'Argentina. Ebbi la certezza di un affetto fraterno, e notai che quando Mario accennava a qualche particolare, lo faceva con imbarazzo, circospezione; quasi a proteggere cose segrete.

Pioveva come Dio la mandava.

Se non fossi stato ansioso di chiudere la faccenda una volta per tutte, ci avrei rinunciato. C'eravamo dati appuntamento al bar tabacchi di fronte a casa mia. Io, Leonìno e Mario.

Non solo Mario aveva provveduto, come promesso, a prendere contatto con la direzione del giornale, ma aveva anche fissato l'appuntamento con il responsabile della redazione di Milano per la consegna di quanto aveva disposto lo zio.

«Giovedì pomeriggio», mi aveva detto per telefono. «Il capo redattore dice di essere in sede per tutto il pomeriggio, quindi va bene qualsiasi ora fino alle sette di sera. Se non ti dispiace verrei anch'io ad accompagnarti.»

«Non vorrei disturbarti oltre.»

«Non è un disturbo. Mi fa piacere.»

Ebbi l'impressione che volesse controllarmi.

«A questo punto lo diciamo anche a Leonìno, cosa ne pensi?» aggiunsi.

«Va benissimo, sarà eccitante per lui vedere dove fanno il giornale che legge tutti i giorni.»

Presi mezza giornata di permesso. Preparai tutto: la copia del lascito da far firmare per ricevuta e l'assegno circolare intestato come mi aveva suggerito Mario.

«Con cosa sei venuto?» chiesi a Leonìno vedendogli le braghe bagnate dal ginocchio fino alle scarpe.

«In Vespa.»

«Con quest'acqua?»

«Quattro gocce!»

Sessantaquattro anni, in pensione da tre, un fisico integro, ben nutrito e tonificato dalla passione per la bicicletta che lo portava ogni giorno a pedalare almeno per cinquanta chilometri.

«Se no, mi sento bloccato e non riesco più a far niente.»

«A che ora arriva Mario?»

«Dovrebbe arrivare a momenti. Prendi qualcosa?» gli proposi per ingannare l'attesa.

«Un caffè corretto.»

«Col rimorchio?»

«Brandy, ma pago io.»

Negli ultimi due giorni la temperatura si era notevolmente alzata ed erano cominciate le piogge marzoline. Pioveva costantemente dalla sera precedente e il cielo, come un'enorme vescica grigia e piena, diceva che non avrebbe smesso, finché non avesse scaricato tutto quello che lo gonfiava. Il traffico in strada era rallentato e caotico. Immaginai che a Milano sarebbe stato ancora peggio.

Stavamo finendo di bere il caffè quando Mario si affacciò alla porta del bar sollecitandoci a raggiungerlo.

«Veloci! Ho l'auto in seconda fila.»

In corso Buenos Aires tribolammo non poco a trovare la traversa di via Struppoli, dove c'era la redazione milanese de «l'Unità», e dovemmo percorrere l'isolato tre volte prima di trovare un parcheggio. Continuava a piovere.

Alle finestre del primo piano le vetrofanie del giornale scatenarono in tutti e tre una strana eccitazione.

Leonìno, prima di entrare nell'ingresso dove campeggiava il titolo della testata a caratteri megalitici, diede di gomito nel braccio di Mario accompagnando un'occhiata ammiccante piena di sottintesi. Sembrava aver conquistato una vetta himalayana. Mario fece un sorriso di convenienza.

Salimmo al primo piano.

La redazione appariva deserta. In fondo a un lungo corridoio con le luci al risparmio vedemmo una figura di schiena, in controluce, appoggiata allo stipite della porta di una stanza. A metà del corridoio c'era un gabbiotto vetrificato con all'interno una signora. Mario, che aveva preso i contatti telefonici e ci guidava, le si rivolse con sicurezza.

«Abbiamo appuntamento con il signor Scricchiolo, potrebbe indicarci dove trovarlo?»

«Oh mamma, siamo tutti in assemblea», esordì, «ma aspettate un attimo.»

Uscì dal gabbiotto e si diresse verso il fondo del corridoio, dove anche noi avevamo intuito esserci qualcuno e dove ci saremmo diretti se non avessimo trovato lei sulla strada.

Ci guardammo silenziosi, percependo una sensazione di smobilitazione in quegli uffici deserti a mezza luce.

«Deve esserci qualcosa!» disse Leonìno stranito di non vedere i compagni giornalisti al lavoro come dei fucinieri.

Anch'io ero perplesso e guardai Mario quasi a chiedergli delle spiegazioni.

«Abbiamo sbagliato il giorno o l'ora?» dissi in tono scherzoso.

«Nelle redazioni dei giornali si comincia a lavorare da mezzogiorno in avanti, quando va bene», mi rispose innervosito.

La donna era sparita nella stanza dopo aver invitato la figura di schiena a spostarsi per farla passare. Subito dopo riapparve, con un tizio al seguito. Vennero verso di noi, la donna non disse nulla e si ritirò nel suo gabbiotto.

«Sono Scricchiolo.»

«Piacere», disse Mario, «siamo i compagni di Bergamo. Ci siamo sentiti i giorni scorsi per il lascito che un nostro amico ha voluto sottoscrivere al giornale.»

«Ossignùr, scusatemi, mi era passato di mente», disse dandosi con la mano un colpo alla tempia, «prego accomodatevi.»

Fece l'atto di entrare nell'ufficio più vicino ma si fermò pensieroso.

«No, andiamo nella saletta.»

Si girò passando in mezzo a noi e prendendo il corridoio in direzione opposta.

Dopo aver superato alcuni uffici entrò in una stanza. Cercò gli interruttori. Li trovò con qualche difficoltà. I neon lanciarono un paio di lampi prima di stabilizzarsi.

«Prego accomodatevi.»

Una volta seduti, Mario cominciò a parlare.

«Le presento Valerio, Leonìno; e io sono quello che le ha telefonato. Valerio, prego.»

Sorpreso dalla sua brevità, spiegai confusamente le volontà dello zio, e per togliermi dall'impaccio gli diedi da leggere la copia del testamento che mi ero portato.

Lo lesse prima con sufficienza, poi lo rilesse con attenzione, quindi trasalì quando si rese conto che quel compagno che era morto incaricava il nipote di eseguire la volontà per cui ci trovavamo lì.

Ci guardò incredulo per almeno un minuto. Fui io a interrompere il silenzio:

«Come ha potuto leggere, sono qui con questi amici di mio zio per ottemperare alle sue volontà. Ho preparato un assegno circolare intestato come lei, per telefono, ha richiesto. Le devo però chiedere di firmare, per ricevuta, la donazione. Non è una questione di sfiducia, ma siccome ho parenti che potrebbero contestarmi quanto disposto, ho bisogno di una documentazione che dimostri che non mi sono tenuto i trenta milioni.»

«Meglio ancora, se di questo lascito scriveste due righe sul giornale; in modo da rendere pubblica l'avvenuta donazione», aggiunse Mario sorprendendomi.

Lo guardai per chiedergli spiegazioni. Mi anticipò.

«Così più nessuno può romperti le palle.»

Scricchiolo non sapeva più da che parte voltarsi quando gli porsi l'assegno circolare e la lettera da firmare, per ricevuta. Disse che doveva fare una telefonata all'amministrazione di Roma, in quanto quella donazione non rientrava nelle cifre delle solite sottoscrizioni per la stampa comunista.

«È fatica anche a regalare i soldi», commentò Leonìno a mezza voce.

Si assentò per quasi un quarto d'ora ritornando con un timbro che applicò sulla copia della lettera che avevo portato. Scarabocchiò quindi una firma.

«È logico che vi ringrazio a nome di tutti, ma in realtà non so cosa dire. Piuttosto raccontatemi qualcosa di lui!» E prendendo dei fogli che stavano sul tavolo si dispose ad appuntare le informazioni per un breve articolo.

«Ha lavorato una vita e questi sono i suoi risparmi», disse Mario sorprendendomi per la stringatezza. «Una vita normale, di lavoro, di impegno politico e sociale. Tutto qui. Penso a una vita come hanno fatto, e fanno,

44

tanti comunisti che credono nell'attività del partito. Nulla di più.»

Di fronte a tanta schiettezza ebbi l'impressione che Scricchiolo si sentisse una merda. Non ero pratico come loro di questioni di partito, ma, vedendo Leonìno che alle parole di Mario annuiva perentorio, colsi l'imbarazzo del povero giornalista che era arrossito.

«Comunque», continuò Mario dandogli del tu, «visto che abbiamo portato una certa polpetta, non pensi che possano rientrare tre abbonamenti per un anno, in modo da ricordarci di lui ogni giorno che riceveremo il giornale?»

Rimasi sorpreso, ma solo perché non ci avevo pensato io.

Scricchiolo, solerte, annotò i nostri dati per l'invio del quotidiano.

La pioggia era ancora fitta e battente. Procedevamo, nel traffico rallentato dal maltempo, tutti e tre silenziosi. Mario dimostrava di conoscere bene la città; quanto a me, ogni strada mi sembrava sempre la stessa anche dopo averne imboccato una nuova, e ogni palazzo uguale a quello appena superato.

Con una brusca manovra Mario infilò un parcheggio davanti a un bar.

«E ora andiamo a brindare alla salute del Cècco.»

«Volevo dirtelo io!» disse Leonìno entusiasta battendogli sulla spalla.

Ignari del suo prestigio, entrammo al Bar Basso. Se fuori pioveva, lì tempestava. Era deserto.

Arrivò al tavolo il cameriere, con una fascia di raso in vita e il farfallino sotto il pomo d'Adamo.

«I signori desiderano?»

«Tre calici di bianco secco», comandò Mario.

«No guardi; qui al Basso, noi, nei calici serviamo solo lo champagne. Il bianco secco lo serviamo nelle coppe.»

Ci sentimmo bergamini.

«Se nei calici siete solo capaci di metterci lo champagne metteci quello», gli disse Mario sfidandolo.

Il cameriere rimase dubbioso se fosse un'ordinazione o un'esagerazione.

«Allora?» continuò Mario esortandolo, «vuole vedere i passaporti?»

L'altro girò i tacchi e arrivato al banco per l'ordinazione al barman, fece con lui qualche commento in milanese che doveva riguardarci.

«Adesso dovresti aver finito il calvario, e con questa, nessuno verrà a tirarti i piedi di notte», disse Mario, scaricando a sua volta la tensione accumulata.

«Spero proprio. Anche se mi rimane da sistemare la casa con tutto quello che salterà fuori.»

«Al Cècco: cin cin. Cin cin. A noi!»

Leonìno ordinò un altro giro.

«Questo lo pago io.»

«Non se ne parla neanche», gli disse Mario. «Fai spazio ai compagni più giovani, voi avete già dato.»

Richiamò l'attenzione del cameriere dopo aver lasciato una banconota sul piattino. Questi lo prese portandolo alla cassa e ritornò con il resto che Mario raccolse tutto lasciando solo lo scontrino. Il cameriere lo guardò come si guarda un morto di fame.

«La mancia offende chi la dà e chi la riceve. E poi, se l'educazione si vuole imparare... qualcosa bisogna pagare.»

Il cameriere rimase fermo a guardare Mario nell'attesa di altro. Lui a sua volta restò sfrontatamente immobile accettando lo scontro, finché il fascia di raso e farfallino ringraziò a denti stretti.

Mario era come lo zio, pronto a menar le mani per difendere la posizione.

La pioggia, che continuava a battere su tutta la regione, aveva trasformato l'autostrada in un acquario burrascoso, pieno di luci riflesse d'ogni cosa bagnata, che impegnava Mario in una guida prudente e accorta. Seduto tra i due sedili posteriori, con i gomiti appoggiati sui nostri schienali, Leonìno sembrava scrutare la strada come un faro nella tempesta.

«Visto il tempaccio, vuoi che ti porti direttamente a casa?» chiese Mario a Leonìno che abitava appena fuori città.

«No. Nel cortile sul retro del bar ho la Vespa. Devo recuperarla altrimenti domattina sono a piedi.»

Fermò dove c'eravamo dati appuntamento alla partenza. Leonìno scese, salutandoci con una calorosa e orgogliosa pacca sulla spalla.

«Ciao, ci vediamo.»

«Bona, anche questa è fatta. E spero sia l'ultima», dissi.

«Se hai bisogno di una mano per qualcosa chiamami pure.»

«Spero proprio di aver chiuso tutte le pratiche di questa faccenda e sento solo il bisogno di rilassarmi. Grazie comunque, e a presto.»

Un vecchio compagno di scuola mi chiese se potevo affittargli l'appartamento dello zio.

«Da tempo cerco casa qui in borgata», mi disse timidamente, «se però non ti senti di parlarne ora lo faremo quando meglio credi.»

«Ma certo!» gli risposi d'acchito.

Non potevo però consegnargli l'appartamento nello stato in cui si trovava.

Il riscaldamento consisteva in una sola stufa, nella stanza in cui lo zio dormiva d'inverno, che era anche cucina e soggiorno. Originariamente a legna, l'aveva convertita con un bruciatore a gas.

D'estate dormiva nella stanza accanto, molto più fresca di notte, la cui porta finestra dava sul ballatoio del cortiletto interno del caseggiato. In fondo al ballatoio i servizi igienici «alla francese», come diceva lui.

«Cosa mi manca? Ho tutto!»

Sulla cassetta dello sciacquone il suo senso del comico: «Guido Duomo S.P.A. –Studio e Progettazione sull'Acqua-», scritto in stampatello sopra il disegno di un rubinetto.

«Dammi un paio di mesi per renderla un po' più civile», gli dissi.

«Due mesi va bene. L'importante è che tu mi garantisca di affittarmela, così non sto a cercare altro.»

«Il tempo di installare il riscaldamento in tutte le stanze e completare il bagnetto interno con il resto degli elementi; come sai, ora c'è solo la doccia.»

Calcolando il tempo dei lavori, avevo un mese per liberare la casa dai mobili, che, in verità, erano pochi ed essenziali. Era l'occasione per cominciare quello che da tempo rimandavo, angustiato dall'idea di mettere le mani nella stanza che lui chiamava «laboratorio».

Scatole, casse e cassette, contenenti gomiti, tubi, tubetti, guarnizioni, pezzi di rubinetto, arnesi, utensili; due comò colmi di altre scatole, a loro volta colme di tutto quello che aveva ritenuto potesse ancora tornare utile.

«Prima o poi...»

Non aveva sprecato nulla, se non il tempo per conservare, accumulare cose: «ancora buone».

Non sapendo da che parte iniziare, chiesi a un idraulico di venire a vedere se c'era qualcosa che potesse interessargli. Mi diede un'occhiata tanto mortificante che me ne ebbi a male.

«Ti porti via quello che ti serve, non voglio niente.»

«No, grazie», mi rispose anche seccato.

Di buona lena, separai i materiali ferrosi da quelli di altra natura e portai tutto alla discarica.

Rovistai senza cura nelle scatole trovate in un comò, nelle quali vi erano vecchie fotografie, lettere, preventivi, contratti, buste a loro volta contenenti carte scritte, che non ebbi il coraggio di buttare prima di averle almeno spulciate. Decisi di portarmele a casa, dove con

calma e in un momento più opportuno le avrei esami-
nate.

I lavori nell'appartamento potevano iniziare.

Aveva avuto ragione Mario che ci saremmo ricordati di lui per almeno un anno.

Il mattino era Leonìno a ricordarmelo.

Sembrava aspettarmi, al bar di fronte a casa mia, per augurarmi tutti i giorni una buona giornata. Sua madre, ottantacinquenne, abitava nel fabbricato accanto al mio e lui, ormai in pensione, andava da lei ogni mattina per sapere se aveva bisogno di qualcosa.

Provai ad anticipare e ritardare di qualche minuto la mia sortita; ma, sempre per caso, era lì.

«Come va?» mi chiedeva con tono paterno.

«Bene, bene; scusami però, devo scappare, sono in ritardo.» E così ogni mattina.

Non c'era verso, era un appostamento. Oppure voleva i soldi che lo zio gli aveva lasciato?

«Fammi il piacere. Non darmeli. Tienimeli tu», mi aveva detto quando, come per gli altri, avevo preparato l'assegno e la lettera di ricevuta.

«Non ci sono problemi. Ho già dato anche agli altri come ha voluto il Cècco.»

«No, è meglio che li tieni tu; se me li dai li spendo, e per il momento non voglio spenderli. Se li porto a casa li prende mia moglie. Tienili tu per adesso.»

«Be', ma alla fine te li dovrò dare e preferirei darteli subito.»

Non ne volle sapere. Aggiunse che me li avrebbe chiesti quando gli fossero serviti; ma ogni volta, incontrandolo, mi sentivo a disagio. Non capivo se avesse bisogno di quei soldi e non osasse chiedermeli, oppure se ero come l'ultima traccia dell'amico scomparso a cui voleva rimanere attaccato.

E la sera, era il giornale che distrattamente sfogliavo a ricordarmelo.

«Alla fine, dovrai guardarci dentro», diceva mia moglie ogni volta che mi beccava incantato a guardare, sulla credenza, le scatole dello zio.

Accadde un sabato mattina.

Nell'attesa del caffè, mi sedetti al tavolo da pranzo avvolgendomi nella giacca da camera. Di fronte, sulla credenza, le scatole del Cècco mi guardavano compiacenti e disponibili come la mezza mattinata che avevo davanti. Mia moglie era da sua madre, che la sera prima aveva accusato un malore, e avrebbe chiamato più tardi per dirmi cosa avrebbe deciso per il pranzo.

Era il momento giusto per aprirle. Mi alzai per prenderle, ma il gorgoglio della moka mi fece deviare verso i fornelli. Spensi la fiamma, versai il caffè in un bicchiere che appoggiai sul tavolo e finalmente le presi.

Erano delle scatole da scarpe.

Le misi in ordine di grandezza, le scoperchiai tutte e tre e tolsi il contenuto di ognuna in blocco.

C'erano lettere, fotografie, ricevute; conti di lavori realizzati e datati trent'anni prima. Mi sembrò più curioso scorrere le fotografie. Erano una ventina.

Di quando era militare; in tuta da lavoro con un gruppo di altri quattro davanti a un fabbricato in costruzione sotto un cartello: «Livi Empresa de costrucciones»; a cavallo, con sul retro la scritta «Io e Adamo nella pampa»; la foto di sua madre; sua sorella con il marito in posa dopo le nozze ed emigrati in Svezia cinquant'anni prima, cioè i genitori di Dario, mio cugino, che ogni anno veniva a trovare lo «ssio Cèco», passando le vacanze da lui finché non lo cacciava di casa.

«La Tosca», era scritto sul retro, e sotto, con una cal-
ligrafia diversa: «A mi gringo, a mi bien, a mi sueño, mi
amor». Una foto a mezzo busto di una donna decisamente bella, dagli occhi chiari, quasi bianchi, lievemente
maculati. La fotografia, in bianco e nero, lasciava immaginare un corpo fulgido, quasi mascolino.

Eccola! La Tosca. Non era quindi fantasia borbottata
ogni volta che gli si chiedeva perché non era rimasto in
Argentina. Bella, davvero bella.
Un'altra foto lo ritraeva con lei in piedi, davanti ai mu-
si di due cavalli trattenuti al morso per le briglie con
una mano, mentre con l'altra sostenevano entrambi un
bastone sul quale erano infilzati almeno una trentina
d'uccelli di media dimensione. Sul retro: «Io la Tosca e
le palomite 1956».
Un'altra. «Carnevale 56. Il Gaucio» lo ritraeva vestito
da mandriano con in mano una frusta e le bólas penzo-
lanti dalla cinta dei pantaloni.
Solo lui poteva vestirsi da carnevale in Argentina con
un costume da gaucho.
«Venezia 1953», in posa da Clark Gable con sullo sfon-
do il campanile di piazza S. Marco senza colombi.
Altre a colori, più recenti, lo ritraevano in convivi o
gite, con vari amici tutti più giovani di lui, che aveva
sempre preferito ai suoi coetanei, considerati noiosi;
tranne, naturalmente, Leonìno.
«Parlano solo di dolori e dei soldi che non hanno. Se
avessero dolori seri sarebbero già morti, e se i soldi non
li hanno cosa ne parlano a fare!»
La Tosca. Il suo «Capolinea».

«Mi piacerebbe che sapesse della mia malattia e della
fine che sto facendo», mi aveva detto un paio di volte,
senza però guardarmi in faccia.

«Se conosci l'indirizzo possiamo scriverle», gli avevo proposto.

«Dopo quarant'anni? Per farle sapere che sto andando a quel paese? Magari è già morta. Certo, in salute era in salute. Casso! E che salute.»

Ricordando il suo desiderio di mettersi in contatto, mi passò un brivido per la schiena.

La Tosca non era certo stata la preoccupazione principale negli ultimi tempi della sua malattia. La storia che conoscevo era imbastita da accenni fugaci, «le donnneee? La Tosca era donna...» marcati da silenzi e sospiri, «ma lasciamo perdere... che è meglio...Ehh... la Tosca».

Mi prese un dubbio: avevo disatteso qualcosa?

Cercò di vedere nella stanza buia.

La luce della cucina filtrava da sotto l'uscio, sufficiente per mostrare le sagome del fratello e della sorella che dormivano. I vestiti sul comò, preparati prima di coricarsi per non far rumore, lo attendevano.

Nel mese dei preparativi dettagliati non aveva previsto il panico, che gli aveva impedito tutta notte di chiudere occhio.

Il pensiero di aver messo in moto qualcosa di inarrestabile gli gelò il sangue. Si alzò, prese gli abiti, e per non disturbare il sonno dei fratelli andò in cucina per vestirsi. Lo avevano salutato la sera, prima di coricarsi, visto che partiva presto; e sua madre, già alzata, aspettava di svegliarlo all'ultimo minuto.

A passi, silenziosi e bui, sentì che il coraggio spavaldo dei preparativi sarebbe potuto venirgli meno.

La madre lo sentì entrare, ma non si voltò, continuando a occuparsi della colazione.

Andò al lavandino di pietra. Si lavò il viso e lo asciugò; riflesso, nello specchietto della barba appeso al muro, non gli sembrò il suo. La valigia era già sulla porta. In silenzio, con il cuore in affanno, si vestì.

La madre versò il latte nella scodella aggiungendogli un mestolo di caffè. L'appoggiò sul tavolo, glielo zuccherò con due cucchiaiate come piaceva a lui.

Spezzò una michetta del giorno prima, la intinse fino al colmo, ma ogni boccone era una fatica. Avanzò metà della colazione scostandola in mezzo al tavolo. La madre prese dalla credenza un cartoccio ponendolo tra lui e la tazza.

«Qualcosa per il viaggio da mettere sotto i denti.»

La guardò con il cuore che si stringeva, ma lei si era già voltata un'altra volta.

Si alzò, prese la giacca buona dall'attaccapanni e se la infilò. L'abbottonò e subito la sbottonò. La riabbottonò e la risbottonò di nuovo. Prese il cartoccio. Lo passò da una mano all'altra accennando ogni volta di infilarselo in tasca.

«Non ce n'è bisogno. A Genova l'impresario ci ha prenotato una trattoria dove mangiare prima dell'imbarco.»

Lo lasciò sul tavolo con a fianco la bugia che la madre finse di credere. Ormai era grande il suo Guido. E sapeva privarsi da uomo.

Si avviò alla porta, la dischiuse, prese la valigia, si fermò sulla soglia girandosi per salutarla. Anche lei si era voltata a guardarlo. La salutò con un cenno del capo.

«Aspetta, crapone! Prendi!»

Andò sulla porta, gli si avvicinò come mai aveva fatto, gli mise un braccio al collo mentre l'altra mano gli infilava duemila lire nella tasca della giacca. Il Cècco pensò che volesse baciarlo e si commosse. Lei gli sussurrò nell'orecchio: «Prendili. Ti potranno servire».

Si scostò, e per un breve attimo ciascuno vide negli occhi dell'altro il pianto imprigionato. Cècco la spinse via, chiudendo la porta.

Scese le scale.

Fuori dal portone, lo accolse la via solitaria.

In un quarto d'ora sarebbe arrivato in stazione e tutto sarebbe rimasto alle sue spalle. Il fiotto d'acqua della fontana del Tritone gorgogliava padrone del silenzio del borgo. C'era solo lui, col suo canto, ad accompagnarlo per un pezzo di strada.

Con passi rapidi raggiunse la fontana. La guardò come mai l'aveva guardata. «Il Delfino». Chimera mitica, derubata di tridente e buccina.

Non bastano bombarde
bombarde né cannoni
per mandare a ruzzoloni
cinque figli de Pignöl
ma tu cara biondina
se t'è car 'l to nasì
non rompere le scatole
ai pirati del Dölfì.
FRÈSCHI! E BELLI!

Appoggiò la valigia a terra, si avvicinò al bordo della vasca, allungò entrambe le mani sotto il fiotto d'acqua, ne raccolse due palmi e se la versò sulla testa.

«Mavadavialcül.»

La madre si sedette al tavolo con le braccia conserte fissando il cartoccio lasciato e la colazione avanzata. Si avvicinò la tazza e finì di consumarla.

«'Ssignur, se è dolce!»

Ero di fretta quando Leonìno, nella sua mattutina im-
boscata sotto il portone, mi affrontò con fare più serio
del solito.

«Valerio! Devo parlarti!»

«Sto andando al lavoro e sono anche un po' in ritardo.»

«No. Non adesso. Vediamoci stasera.»

Era l'ultimo desiderio quello di passare una serata
con lui per parlare di chissà cosa. Pensai di limitare i
danni dicendogli di vederci dopo il lavoro.

«Senti, alle cinque e mezza torno dall'ufficio, se vuoi
possiamo vederci subito dopo. Su, al barettino del Delfino.»

«Va bene, d'accordo. Alle cinque e mezza?»

«Un momento; alle cinque e mezza esco dal lavoro, il
tempo di arrivare, un quarto d'ora; massimo alle sei.»

«Alle sei!»

Ricordai l'appuntamento solo quando lo vidi dentro il
bar. Ebbi l'impulso di tirare diritto ma pensai che il mattino seguente si sarebbe riproposto il problema. Par-
cheggiai lo scooter ed entrai.

«Eccomi.»

«Bevi qualcosa?» mi chiese gentilmente.

«Il solito», dissi al barista, e rivolgendomi poi a lui:
«Dimmi!»

«Anch'io, quello che beve lui.»

Il barista si apprestò a riempire, da una bottiglia di bianco, due bicchieri.

«No, no, se è bianco io no. Preferisco il rosso.»

«Cosa volevi dirmi?»

«Dopo, se non ti fa niente, vorrei parlartene fuori di qui.»

«Va bene!» risposi sorpreso.

Bevemmo senza fretta.

Gli amici m'invitavano per una partita. Dissi loro che non potevo. Gli feci cenno d'essere pronto a uscire come mi aveva chiesto.

«Mettiamoci lì, alla fontana», proposi.

«Senti me», partì in tromba, «quei soldi del Cècco che ti avevo chiesto di tenere per non spenderli...»

«Ti servono?» chiesi ansioso, sperando di porre termine a quella pendenza.

«So che stai andando in Argentina!»

«Chi ti ha detto una cosa simile?»

«Vengo anch'io! Uso i soldi che mi ha lasciato il Cècco e vengo con te.»

«Ma chi ti ha detto una cosa simile?»

Mi domandavo come sapesse di quella mezza idea, mai manifestata peraltro: e più che un'idea, un senso di colpa.

«Non ho intenzione di andare in Argentina.»

Marcai fortemente il *non* in maniera inequivocabile.

Mi scrutò per tutto il viso per scoprire se nascondevo qualcosa. Piegò la testa volgendo lo sguardo sul selciato, poi tornò a investigarmi.

«Allora Mario ha capito Roma per Toma!» disse continuando a fissarmi.

Mi venne in mente che ne avevo parlato con Mario, ma non nei termini che Leonìno stava supponendo.

«A Mario ho solo detto che tra le lettere e le fotografie che ho trovato a casa dello zio c'erano quelle della Tosca, che, come sai, dev'essere stata la sua morosa in Argentina. Niente di più. Lui ha poi commentato, ma solo con una lontana allusione, che sarebbe stato bello far sapere alla Tosca che era morto. Credimi, non gli ho mai detto che intendo andare in Argentina.»

Non lo avevo convinto. Alzò le braccia senza proferire parola. Mi dispiaceva, ma non sapevo come persuaderlo.

«Leonì», ripresi con vigore confidenziale e in bergamasco, come quando dovevo parlargli di cose serie, «andare in Argentina a trovare la Tosca è un casino. Innanzi tutto non sappiamo che faccia abbia; le fotografie che abbiamo in mano sono di almeno quarantacinque anni fa; non sappiamo se è ancora viva; se è sposata o non sposata; e se lo è, non porta più il cognome da nubile; quindi? Cosa facciamo? Rintracciamo i suoi genitori che sappiamo chiamarsi Livi come lei e che adesso dovrebbero avere tra i cento e i centocinque anni? Andiamo fino a Salta a duemila metri, in culo al mondo, in mezzo alle Ande, a cercare, in una città di mezzo milione d'abitanti, una donna che si chiama Tosca, battezzata così da un padre melomane perché vivesse d'arte e d'amore senza fare male ad anima viva? Con le fotografie di quando aveva vent'anni?»

«È a duemila metri?» chiese eccitato.

«Milleduecento. Ma non è questo il punto.»

«Come fai a sapere tutte queste cose su Salta?» continuò euforico.

«Mi sono informato.»

«Allora stai andando in Argentina!» concluse puntandomi in faccia a cinque centimetri dal naso l'indice che non dava possibilità di repliche.

Era come lo zio. Tagliato con la scure. Passava meccanicamente dall'italiano alla lingua madre, tirando con-

clusioni bergamine con i sospetti ottusi della logica orobica.

Mi accorsi di aver parlato al plurale.

Come potevo spiegargli che era un plurale retorico e
non riferito a Mario; che sì, era vero, mi ero informato,
ma solo per curiosità, per capire qualcosa di più dello
zio; gaucho a carnevale, in Argentina; che nei mesi successivi la sua scomparsa mi appariva sempre più come
un personaggio piuttosto che un parente, e cercavo di
capire cosa l'avesse spinto verso una vita apparentemente avventurosa all'inizio, e parsimoniosa alla fine; che
ero ancora vittima di scarti emotivi; che più di una volta, soprappensiero, mi ero diretto in ospedale a fargli visita quando non c'era più da mesi; come se ci fosse ancora. Che man mano svaniva il legame di parentela, avvertivo una vicinanza più viva; più astratta magari, ma
meno inibita, meno assoggettata, più riguardosa di lui;
che in vita era stato un po' come Leonìno, che lì davanti mi puntava l'indice dell'inquisitore.

«Leonìno, ascoltami», continuai affettuosamente in
bergamasco per fargli capire che parlavo sentitamente,
«non sto andando in Argentina; e se mai deciderò di an-
darci te lo farò sapere. D'accordo?»

«Guarda che io ci tengo a venire. Tu sei un bravo ragazzo. Sei come tuo zio. Se il Cècco ha fatto quello che
ha fatto è solo perché di te si fidava. E guarda che io non
ho problemi a viaggiare! Sono più vecchio di te ma non
vecchio come i vecchi. Tre anni fa sono stato via un mese e mezzo in Bolivia quando ho chiuso bottega.»

Quello che sapevo di lui era a spizzichi e bocconi.

Frequentarlo aveva sempre voluto dire avere lo zio come tramite e le occasioni spesso erano state piuttosto strambe; per quel che ne sapevo, aveva cominciato a lavorare a tredici anni e aveva chiuso l'attività quando l'Associazione Artigiani gli aveva detto a bruciapelo di avere i requisiti minimi per la pensione.

«Cosaaa?»

«Sì, dal primo di gennaio potrebbe andare in pensione», gli aveva detto l'impiegata con la testa rivolta alle nuvole; certa, come per altri associati, che avrebbe deriso quell'opportunità per buontemponi, con sufficienza orobica.

Fece chiudere i conti, e a metà dicembre aveva liquidato fremente il lavoro di trentotto anni. Calcolata la metà del ricavato, lo consegnò alla moglie che con lui partecipava alla società. L'aveva sempre tenuta a libri versandole i contributi come impiegata così da garantirle una pensione. In realtà non aveva mai messo piede in officina, ma ciò era parte integrante dell'accordo societario.

«Io dal primo gennaio chiudo! Questa è la tua parte!» le disse consegnandole i soldi in contanti, «Tiro giù la clèer e non lavoro un minuto di più! E adesso mi prendo un po' di ferie.»

«Dove vai?»
«In Bolivia. A cavallo!»

«E come è rimasta?» domandai curioso.

«Non ha fatto una piega. D'altronde ho sempre rispettato anch'io tutto quello che ha voluto fare lei. Eh sì! M'è toccato fare il lattoniere tutta la vita, ma la mia passione era per i cavalli. Ero garzone dal Tombini, in Pignolo, dove facevano i finimenti dei cavalli. Selle, briglie e quant'altro. Allora si imparava a bottega senza prendere un soldo. Bello, mi piaceva, mi sembra di sentire ancora l'odore del cuoio e dei lucidi. Ma mia madre, siccome lì non mi pagavano, dopo sei mesi mi ha portato nell'officina di un lattoniere che era disposto a insegnarmi dandomi anche qualche lira; ma a me non piaceva, non m'è mai piaciuto. Ho continuato a uscire di casa ogni mattina e invece di andare dal lattoniere andavo dal Tombini. Dopo tre mesi che non portavo a casa un soldo, mia madre è andata in officina con la scusa di chiedere se stavo imparando il lavoro e se era contento di me, cercando di capire perché non mi avesse ancora pagato. Apriti cielo! Ha scoperto che dopo avermi accompagnato la prima volta non c'ero più stato. Me ne ha date tante, e poi tante, che dal giorno dopo ho fatto il lattoniere per tutta la vita. Ma la passione dei cavalli non l'ho mai persa.»

Mi disse poi di essere rimasto in Bolivia un mese e mezzo con persone che si occupavano di importazione di cavalli dal Sudamerica per centri equestri italiani.

Gli animali arrivavano in Italia semi-domati e lui si fa-

67

ceva carico, in questi centri di smistamento, di completarne l'ammaestramento. Poteva farlo solo il sabato e domenica, quando non lavorava, o durante i periodi di ferie. Completava l'addestramento del cavallo che, così come arrivava, avrebbe presentato rischi per i cavallerizzi inesperti; come compenso poteva cavalcare gratuitamente ogni volta che lo desiderava.

Spesso si allontanava dal lavoro e da casa per tre, quattro giorni, cavalcando per le Prealpi della provincia e dormendo in rifugi alpini, curandosi del cavallo prima di considerarlo pronto, ma soprattutto sicuro, per i cavallerizzi della domenica.

«E com'è andata?»

«Ho mangiato fuori tutto! Ma ne valeva la pena!»

«...Una ventina di giorni», aveva detto alla moglie.

«Sarei rimasto là dieci anni a fare quella vita!» ripeteva spesso con nostalgia.

Una volta in Bolivia, a cavallo per tratte di ottanta chilometri in tre giorni, dormendo sotto stelle e coperte boliviane, « ...le tentazioni lì... non mancavano mica alla sera...» prolungò la permanenza fino a che fu certo di aver finito tutti i soldi.

«Credimi, ho fatto un mese e mezzo ma... al massimo!»

Come potevo convincerlo, che ero rimasto turbato dal ritrovamento delle lettere di Tosca? E che forse, solo presentandomi personalmente avrei riscattato il Cècco da ciò che doveva esserle apparsa una mascalzonata? Ma quali scuse le avrei portato? Mi sentivo un frullatore, con tutte quelle domande che vorticavano.

«Mi piacerebbe che sapesse della mia malattia e della fine che sto facendo.»

Mi affrettai all'assemblea sindacale scendendo le scale tre gradini per volta.

Nel salone della mensa avevano disposto i tavoli da pranzo a mo' di tribuna dietro cui sedevano i rappresentanti interni ed esterni del consiglio. Le sedie, che erano state raggruppate per formare una platea, erano tutte occupate. Metà degli intervenuti era in piedi, appoggiati ai muri perimetrali.

Stava parlando un collega di chissà quale ufficio, e tutti sembravano ascoltarlo attentamente.

«...e queste, sono per me le vere priorità!»

L'assemblea accolse la conclusione in totale silenzio lasciandola scivolare nell'indifferenza generale. Non ero giunto in tempo per capire quale fosse la proposta, e cercai, guardandomi attorno, qualcuno che mi informasse.

«Ha parlato il re di Spagna», commentò un collega al mio fianco, che non conoscevo, e che come me e altri era in piedi in fondo alla sala.

«Perché re di Spagna?»

Non feci a tempo a chiederglielo che il coordinatore del dibattito parlò nel microfono.

«Bona; questa è l'opinione del collega, ...iùan ...giùan...»

«Juan Carlos, Juan Carlos», disse visibilmente seccato, aspirando la j, il membro che aveva concluso l'intervento.

«Comunque», continuò il coordinatore, «se ritenete di votarla come mozione, alzi la mano chi è a favore.»

Un coro di «Noooo!» si levò generale dalla sala mensa.

«Ma chi è quello che ha parlato?»

«Juan Carlos, Lifaschi.»

Impossibile. Inverosimile. Lifaschi!

Da mesi mi ripetevo che avrei dovuto decidermi a fare seriamente delle ricerche in merito a quel cognome pronunciato da mio zio. Avevo consultato più volte l'elenco telefonico senza riuscire a trovarlo né in città né nei paesi limitrofi.

«Ma non è italiano?»

«È italiano, è italiano.»

«E perché lo chiamano Juan Carlos?»

«Non è che lo chiamano Juan Carlos; per chiamarlo lo chiamiamo "maestà", ma lui si chiama proprio così.»

«Pensavo fosse un soprannome.»

«No, no! È nato in Argentina.»

Rimasi folgorato. Mi voltai fissando il collega e sperando di attirare la sua attenzione. Visto che rimaneva sulle sue, continuai in maniera impersonale.

«Sai dove è nato in Argentina?»

«Boh, penso a Buenos Aires. È pieno di italiani lì.»

Mi sembrò scocciato. Pensai che lo infastidisse il «tu». Non ci conoscevamo.

La nostra società, operando in campo nazionale con filiali in tutte le regioni dove c'erano pietre cementifere da estrarre, aveva sempre mantenuto la direzione tecnica a Bergamo, dove innumerevoli uffici si occupavano delle filiali. Perciò molti di noi non si conoscevano, non si frequentavano, e ci si incontrava casualmente solo all'uscita dal lavoro.

Temendo che fosse un capoccia di qualche ufficio cambiai tono.

«Mi scusi se le ho dato del "tu".»

Si voltò meravigliato.

«Ma fai davvero? Semplicemente non so dove sia nato. So solo che è nato in Argentina da genitori italiani che poi sono tornati in Italia. Quello che fa ridere è che non parla quasi lo spagnolo, e per uno che si chiama Juan Carlos... anche se lo hanno battezzato là potevano chiamarlo, che so... Michele, Filippo, ma Juan Carlos!»

Sorrisi sollevato. Non era un protervo.

«Sai per caso in che ufficio lavora?» gli chiesi.

«Nel mio stesso ufficio. Si occupa degli approvvigionamenti idrici nelle filiali del sud Italia.»

«A che interno?»

«Tre quattro tre.»

«È il tuo capo?»

«No. Io sono il suo capo.» Sospirò. «Tutto sommato è un bravo ragazzo. Un po' narciso forse... ma bravo ragazzo.»

Di certo non era lui.

Mio zio, nato nel '24, parlava dei due compagni partiti con lui per il contratto in Argentina come di coetanei. Ma visto il cognome, non comune in città, Juan Carlos poteva essere un parente del Lifaschi che era partito con mio zio.

Alzai il ricevitore e composi il tre-quattro-tre.

«Pronto! Lifaschi acque», disse la voce all'altro capo.

«Salve sono Duomo, cave Lombardia. Noi non ci conosciamo, ma l'altro giorno in assemblea ho saputo il suo cognome.»

«Sì, e allora?»

«Ecco... è una storia un po' lunga, ma cercherò di spiegarmi. Avevo uno zio che è morto qualche mese fa. Questo zio mi disse che, quando era stato in Argentina negli anni Cinquanta, c'erano con lui due persone e una si chiamava Lifaschi. Al consiglio sindacale ho saputo che lei è nato in Argentina, perciò ho pensato che forse suo padre era una delle due persone che andarono in Argentina con mio zio.»

«Sì, sono nato in Argentina, e mio padre era là in quegli anni. Ma che lavoro faceva suo zio?»

«L'idraulico.»

«Anche mio padre. Si era sistemato a Salta, dove sono nato io.»

«Anche mio zio è stato a Salta. Le combinazioni cominciano a essere numerose.»

«Già.»

«Vorrei chiederle se è possibile incontrarci dopo il lavoro, all'uscita.»

«Ma a lei cosa interessa sapere?»

«Come le dicevo è una storia un po' lunga, perciò preferirei incontrarla di persona.»

«Io però stasera devo correre subito a casa», disse titubante.

«Possiamo fare domani sera, se le va bene.»

«Come faccio a riconoscerla? Non l'ho mai vista!»

«Troviamoci all'ingresso, io avrò la "Gazzetta" in mano.»

«Va bene allora, a domani.»

Il portiere più anziano, con abitazione annessa all'ingresso, era famoso per il suo occhio di vetro-ceramica. Il destro.

Mi guardò un paio di volte di sguincio come a chiedermi cosa stessi facendo lì impalato, e prima che me lo chiedesse mi avvicinai a lui di un passo.

«Sto aspettando un collega.»

L'atrio era spazioso. Un angolo, ingentilito da alcune piante invasate, era arredato con poltroncine e divanetti per le attese.

Un tipo dall'aspetto più anziano di quello che avevo visto parlare in assemblea, si avvicinava indeciso alla guardiola. Guardò prima il custode, poi fissò con una certa insistenza la «Gazzetta» che tenevo in mano. Alzai il giornale a mezz'aria e al mio gesto mi raggiunse.

«È lei il dottor Duomo?»

Doveva aver trovato il titolo sull'elenco aziendale dei numeri telefonici interni.

«Lei è... il geometra Lifaschi?» dissi a tono improvvisando il diploma più comune in azienda.

«Già. Ma sono ragioniere non geometra.»

«Mi scusi. Le posso offrire un aperitivo in qualche bar qui fuori?»

Mi guardò indeciso.

«Se per lei è lo stesso preferirei stare qui, purtroppo anche stasera non ho molto tempo.»

«Sediamoci almeno un momento.»

Attraversammo la fiumana dei colleghi che uscivano e raggiungemmo lo spazio d'attesa.

«Mi perdoni se l'ho disturbata, le spiego subito di che si tratta.»

Fece un cenno disponendosi ad ascoltarmi.

«Circa sei mesi fa, mio zio è morto. Aveva lavorato come idraulico in Argentina negli anni Cinquanta, ai tempi di Perón, e c'è rimasto per quasi quattro anni, tre anni e mezzo per l'esattezza. Era andato in sudamerica con due compagni di lavoro, Massa e Lifaschi. L'altro giorno, in assemblea, ero accanto al suo capoufficio mentre lei parlava al microfono, e saputo che si chiama Lifaschi e ha un nome spagnolo, ho pensato che potesse avere a che fare con il Lifaschi partito con mio zio; soprattutto quando il suo capo mi ha detto che lei è nato in Argentina.»

«Sì, a Salta.»

«Appunto. Mio zio è stato a Salta dove deve aver lavorato e soggiornato per parecchio tempo. In casa sua ho ritrovato delle lettere e fotografie con riferimenti a una persona un po' particolare. Volevo sapere da suo padre qualcosa di più su questa persona, ammesso sia lui il compagno di mio zio.»

«Sì, ma mio padre è morto da otto anni.»

«Quindi, buona notte!» dissi deluso.

Mi fissò, aspettando di capire se avevo ancora qualcosa da aggiungere; quindi disse:

«Ieri, dopo che mi ha telefonato, ho cercato di ricordare qualcosa di mio padre e di Salta, ma inutilmente. Suo zio era già ritornato in Italia quando io sono nato. Non ricordo niente. Del resto non ho molti ricordi dell'Argentina. Quando la mia famiglia tornò a Bergamo avevo appena tre anni; perciò, ieri sera, incuriosito dal suo interesse ho chiesto a mia madre. Viviamo insieme... non sono sposato.»

Fece un cenno di assenso col capo, come se fosse certo di avere le risposte che cercavo.

«Mia madre si ricorda molto bene di suo zio. Le si sono illuminati gli occhi quando le ho fatto il suo nome.»

«E quindi?»

«Quando mio padre partì con suo zio e l'altro compagno, si era sposato da poco. Lasciò mia madre qui, per vedere come si sarebbe messa la faccenda del lavoro in Argentina.»

Si fermò un attimo a pensare.

«Quando suo zio tornò, con una lettera per mia madre, lei gli chiese che fine aveva fatto suo marito. In tre anni le aveva scritto sì e no tre volte e, mentre suo zio era tornato con quanto bastava per mettersi in proprio, pare che mio padre non riuscisse neanche a mettere da parte i soldi per tornare in Italia. Fu lui a consigliarle di andare a riprenderselo se lo voleva a casa. Altrimenti... Suo zio le diede tutte le indicazioni necessarie; si licenziò dal cotonificio dove lavorava e con una sorella partì per raggiungerlo. Dopo sei mesi, restò incinta di me e tre anni dopo ritornammo tutti in Italia. Solo mia zia, la sorella con la quale era partita, rimase a Salta. Aveva trovato marito. Un italiano peraltro.»

«Quindi neanche sua madre può sapere di questa persona che vorrei rintracciare.»

«Non saprei, posso provare a chiederglielo.»

La fiumana dei colleghi si era esaurita. Il custode più anziano si era ritirato nella guardiola, sfogliava una rivista, e ogni tanto ci guardava. Quello più giovane, che aveva stazionato il tempo della ressa sulle porte principali, era sparito in qualche ufficio. Juan Carlos Lifaschi mi osservava e avevo l'impressione che volesse aggiungere dell'altro.

«Mi scusi... non voglio essere indiscreto, ma perché le interessa questa particolare persona?»

Cosa avevo da perdere a parlarne?

«Lo zio mi ha lasciato quanto aveva, ma negli ultimi mesi della malattia insisteva su questa Tosca, anche se lo faceva distrattamente, ripetendo che, se fosse stata ancora viva, gli avrebbe fatto piacere avvertirla che stava morendo.»

«Sapeva di morire?»

«Già, aveva voluto che i medici gli dicessero tutto, e a quali conseguenze sarebbe andato incontro.»

«Oh povero!»

«Subito dopo la sua morte credevo di aver chiuso tutte le faccende legate a lui, ma rovistando tra le sue lettere e fotografie, mi è tornato in mente quel suo desiderio; e oggi mi sembra di aver disatteso qualcosa. In realtà non ho la più pallida idea di cosa fare. Non saprei come rintracciarla. Ho provato anche al consolato argentino di Milano, ma mi hanno solo fornito l'indirizzo del consolato italiano di Salta che dovrei contattare per sapere qualcosa su questa Tosca Livi. Così si chiama. Ma cosa scrivo? Lo spagnolo lo parlo all'italiana, si figuri scriverlo. E poi? Racconto al consolato la storia di mio zio? Che se n'è andato lasciando una morosa lì, a Salta, che potrebbe essere finita chissà dove, se addirittura non è morta? E per cosa? Per dire che se la rintracciano ho da comunicarle che mio zio è morto?, ma che voglio essere io a dirglielo? Capisce che è un gran pasticcio.»

Mi guardò con un'espressione soddisfatta.

«Credo di poterla aiutare! Non so quanto, ma credo proprio di poterla aiutare.»

Mi prese un po' di ansia.

«Un cognato di mia zia è viceconsole di Salta.»

«Come, come?»

«Già, questo cognato è viceconsole della provincia ed è molto probabile che sia in grado di fornirle le informazioni che le servono. È ovvio che parla perfettamente l'italiano, quindi, potrebbe scrivergli e spiegare il tutto.»

Era visibilmente contento di essermi stato utile, e non mi sembrò così narciso come aveva detto il suo capo. Ci salutammo un po' concitati, tanto che lasciando il salottino per prendere l'uscita, urtai il vaso di una pianta, rovesciandolo.

Il guardiano si alzò richiamato dal rumore e fermandosi sulla soglia della guardiola mi guardò severo senza dire nulla. Io, ricollocato il vaso al suo posto, non gli chiesi di chiudere un occhio, come invece facevano altri colleghi colti in flagrante.

«Devo andare dal Cècco!» sbottai con mia moglie mentre cenavamo.

«Scusa?» disse fermandosi con il cucchiaio a mezz'aria.

«Guarda che il Cècco è morto mesi fa.»

«Intendevo andare in Argentina dal Cècco; cioè, dalla Tosca, dov'era il Cècco, a Salta.»

Mi guardò stralunata per il pasticcio.

«Intendevo dire di andare a Salta, in Argentina dove è stato a lavorare lo zio Cècco e provare a rintracciare la Tosca per dirle che è morto.»

Tranquilla e serena, riprese a mangiare.

«Quando pensi di andare?»

«Non lo so. Dipende da molte cose. L'aereo, la stagione, le ferie, il tempo di permanenza. Non ho ancora organizzato niente. Devo ancora muovermi. L'unica cosa di cui sono abbastanza certo è che, se vado, porterò con me Leonìno. Un po' perché me l'ha chiesto, ma anche perché mi sembra di giustificare meglio la mia presenza; se mai riuscirò a rintracciare la Tosca.»

Erano i primi di maggio. Lifaschi mi aveva fornito tutti gli elementi per contattare il cognato di sua zia, il viceconsole. Non solo, si era offerto di scrivergli se mai avessi deciso di partire annunciandogli la natura della mia visita.

Il viaggio in sé non si presentava difficile. Quasi ogni anno concentravo tutte le ferie in periodi congeniali a viaggi che alcune volte erano durati anche quaranta giorni. Ero stato un po' dappertutto per il mondo sia in escursioni completamente organizzate sia in altre dove gli imprevisti erano stati avventurosi. Non mi preoccupava quindi arrivare a Salta. La destinazione si trovava sotto l'equatore e il periodo migliore per temperatura e clima sarebbe stato il mese di agosto, corrispondente alla nostra primavera inoltrata. Decisi di arrivare a Salta con tratte consecutive e senza soste.

Il programma di volo sarebbe stato: Milano-Madrid, Madrid-Buenos Aires, Buenos Aires-Salta. Tolto il dente, tolto il dolore.

Rimaneva d'avvertire Leonìno.

«...sì, però devi venire a mangiare a casa mia. Domenica!»

«Non stare a disturbarti, vengo una sera dopo cena, mi offri un caffè e parliamo del viaggio con Luisa.»

«No, no, è meglio che facciamo domenica a mezzogiorno, a pranzo, tu e tua moglie.»

«Ti ripeto che non è il caso.»

Mi guardò dal basso in alto con cipiglio supplichevole ma autoritario.

«Ti dico che è meglio che vieni a mangiare una domenica.»

«Ma se è per tranquillizzare Luisa basta una chiacchierata un giorno qualsiasi, non stare a disturbarti con un pranzo; tra l'altro mia moglie è sempre a disagio in casa d'altri, quindi dovrei venire da solo.»

«Meglio ancora!»

Lo guardai attonito; mi strizzò d'occhio. Non capivo però di cosa dovevo essere complice.

«Non si fida di me! Dopo che sono stato in Bolivia non si fida più. Se le dico che vado in Argentina con te, non ci crede. Mi chiede subito perché devo venire anch'io, e perché non puoi andare da solo. Tu devi invece venire a casa, e chiedermi di venire perché da solo non te la senti di andare. E la sera non va bene, lei si mette davanti al televisore e fino a mezzanotte salta da un canale all'altro, e se qualcuno telefona o suona il campanello di casa si innervosisce pensando che siano dei rompiballe. Credi a me, devi venire a mangiare una domenica a mezzogiorno. Lei cucina contenta tutta la mattina, è felice di quello che prepara, se le dici che è buono lo è ancora di più, e dopo, alla fine, devi chiedermi se, per favore, posso accompagnarti; ma così, come se fosse una cosa naturale; che hai bisogno d'aiuto, insomma.»

«D'accordo, se dici che è meglio così!»

«Va bene domenica prossima?»

«Sì, va benissimo.»

Sua moglie pranzò per tutto il tempo con la sigaretta accesa appoggiata al posacenere.

All'antipasto, brindando alla memoria del Cècco, provai a imbastire la preoccupazione di andare da solo in Argentina per rintracciare la Tosca. Leonìno, di fronte, mi diede un calcione nel piede. Capii che dovevo aspettare.

«Buone queste lasagne!»
«Il segreto sono i culi tritati.»
Scossi la testa interrogativo.
«La salumiera, mia amica», e tirò due boccate dalla sigaretta, «mi tiene da parte i culi che non riesce più ad affettare, salami, prosciutti, coppe, io li trito nel ragù. Sono loro che gli danno il buono.»

Dopo le lasagne, che fui obbligato a replicare per il complimento fatto, guatai Leonìno per capire se era il momento opportuno di parlare dell'argomento.
«Cosa pensi di questo vino? Lo vado a prendere e lo imbottiglio io.»
Era ancora presto.

Si parlò di vini fino al brasato, accompagnato da polenta; né potei negarmi all'assaggio di una formaggella che si procurava in un alpeggio dove di tanto in tanto andava per far correre il cane.

Cominciavo a sentirmi come don Berlucca: pieno, rosso, lustro e gonfio.

Teso a cogliere il momento propizio per iniziare il discorso, sospiravo con lo sguardo Leonìno per avere la sua approvazione, ma lui ogni volta alzava il bicchiere costringendomi a brindisi ritardanti.

Sentivo gli occhi lucidi e una irrefrenabile voglia di parlare.

Sua moglie teneva banco con discorsi più o meno lunghi, su qualunque argomento, facendo domande e dandosi le risposte. Si spostava dalla sala alla cucina a due passi alle sue spalle, ogni volta che aveva terminato le sue considerazioni, e senza aspettare che qualcuno avesse qualcosa da controbattere.

Preparato alla loquacità di Leonìno fui travolto da quella di lei che non smise mai di parlare dall'inizio del pranzo. Non riuscii a dire che due parole per tutto il tempo: «cin-cin»; e invano tentai di inserirmi in quel soliloquio.

«Certo! Anche perché...»
«No, no! Te lo dico io il perché...»
«D'altronde...»
«D'altronde un bel corno!»
«Anche perché...»
«Non ci sono perché che tengano...»
«Robe da matti!»
«Da matti? Da manicomio vorrai dire.»
«Sono cose così!»
«Ehh, ma se le cose cambiano!»
«Non bisogna far caso a tutto!»
«Mi dispiace ma io ci faccio caso...!»
Non ci fu nulla da fare.

«Caffè?»
«Caffè!»

84

Guardai Leonìno per capire se finalmente si poteva parlare dell'argomento. Mi fece cenno, mentre la moglie era in cucina, di aspettare che tornasse.

«Beviamo un grappino, prima», disse alzandosi per prendere dalla credenza la bottiglia. Accesi anch'io una sigaretta in attesa del caffè di cui ormai si sentiva il gorgoglio nella moka.

«Come ti sembra questa grappa?»

Ne presi un piccolo sorso, trattenendola in bocca per un attimo che bastò ad infiammare il palato ormai esausto per i sapori che si erano avvicendati nel pranzo.

«Mi sembra buona. Secca, non troppo profumata, buona insomma.»

Non sapevo niente di grappe. Feci quindi il verso che avevo più volte sentito fare da altri.

A quel punto mi diede un calcio nella scarpa. Lo guardai. Un cenno d'assenso gli piegò la testa in tono affermativo, accompagnato da un lieve abbassamento delle palpebre. Partii in quarta.

L'ansia di intavolare l'argomento, la preoccupazione di rendere credibile la recitazione, scatenarono un marasma di parole. L'effetto delle bevande dilatava i ricordi dello zio fino alla commozione impastandoli coi singulti in un tutt'uno. Al termine, tutto il discorso, di tanto in tanto sospeso per ritrovarne il soggetto, risultò a me stesso incomprensibile. Avevo parlato per mezz'ora.

Io ero esausto; loro tramortiti.

Leonìno partecipò con tale comprensione al mio tormento che non controllava più, neppure lui, i sentimenti di affetto, pietà e tenerezza, che la moglie coglieva addirittura affranta. Sperai che mi facessero delle domande per darmi la possibilità d'essere più preciso. Leonìno, occhi fissi sul tavolo, stava zitto, e con l'indice giocherellava con le briciole del pane sulla tovaglia.

Lei, a capotavola, mi appoggiò la mano sulla spalla. Animando le dita, con una lieve pressione, mi guardò con tenerezza. Spense tragicamente la mezza sigaretta trattenuta nell'altra mano come a dare solennità a quanto stava per dire.

«Fai bene ad andare a cercare la Tosca. So io quanto il Cècco era innamorato di quella donna. Ne parlava sempre dopo qualche bicchiere. E tu», disse rivolgendosi al marito, «dovresti accompagnarlo. Non può quella donna vedere lui senza un vecchio quasi come il Cècco.» Sentii l'apertura di una crepa nella sua voce. «Scusami Valerio, ma queste cose mi fanno venire il magone.»

Si alzò da tavola con il pretesto di dover sparecchiare per nascondere in cucina l'emozione che l'aveva agguantata.

Mortificato, guardai Leonìno.

Con occhi bassi menava austero la testa in tono d'assenso all'ordine della moglie e prima che lei tornasse dalla cucina mi guardò facendomi l'occhiolino.

Qualcosa si era rotto.

Il treno cominciò a prendere velocità correndo sempre più rapido lungo il versante della montagna. Nelle curve lo stridore delle ruote sulle rotaie era sinistro. Le rocce ci sfioravano. Lo stomaco mi era arrivato in gola e voleva uscire di bocca. Il treno era ormai fuori controllo e aspettavo atterrito che prima o poi si schiantasse. Ebbi un sussulto.

Sentivo qualcuno aggrapparsi al braccio e una voce lontana mi chiamava disperata.

«Valerio! Valerio!»

Un violento fragore mi fece sobbalzare spaventato. Precipitavo!

Sbarrai gli occhi risvegliandomi di soprassalto. Un vuoto d'aria di pochi secondi, sulla rotta del velivolo, mi aveva fatto precipitare dal treno delle nuvole, unendosi a Leonìno che mi tirava per la manica della camicia.

«Valerio?»

«O mamma! Cos'è successo?»

«Usted tuvo un demonio en sueño?» disse il vicino di posto per tranquillizzarmi.

«Ti ho svegliato perché stavi dormendo. Stanno passando a portare il secondo mangiare e se dormi ancora, tirano dritto.»

«Ma non ho fame, non ho voglia di mangiare!»

«Guarda che è già la seconda volta che non mangi.»

Non riuscivo a riprendermi dallo spavento che il breve sogno mi aveva lasciato. Osservavo confuso Leonìno che mi parlava, ma non riuscivo a capire quello che mi diceva.

«Leonì, non ho fame, non ho voglia di mangiare!» ripetei.

«Tu prendilo lo stesso, vengo poi io a mangiartelo quando ho finito il mio.»

«Come vieni a mangiarmelo?» gli chiesi intontito.

«Sì! Tu prendi il vassoio, quando ho finito il mio vengo a prendere il tuo.»

«Ma sei sicuro che non ti faccia male mangiare tanto?» mi venne da dirgli.

«Ma hai visto le porzioni? Sono per canarini», disse tornandosene rapidamente al suo posto.

Per tutta la vacanza mi ero sentito fuori posto. La gente incontrata di volta in volta aveva familiarizzato con lui istintivamente; dispiaciuti di farmi capire che non c'era motivo di vergognarsi. Spesso ci guardavano, per capire lo strano assortimento, ma soprattutto guardavano lui contagiati dal suo schietto entusiasmo.

Il signore seduto accanto, trovatosi involontariamente tra noi, fece un largo e compiaciuto sorriso.

«Que temple vuestro padre!»

«Come?» domandai frastornato.

Mi guardò perplesso, e stranito continuò:

«El temperament di seu pare es pinxo!»

Non capivo più dov'ero! Lo guardavo esterrefatto. Non capivo che lingua parlasse.

«Que idioma habla señor?» gli chiesi.

«Català!»

«Catalaaà?»

Mi guardò meravigliato prima di riprendere.

«Vuestro padre no hablava catalá?»

«Nosotros somos bergamaschi, Italia.»

«Ah, i-ta-li-ani. Perdóneme.»
Mio padre!?

L'hostess aveva appoggiato il vassoio davanti al mio vicino chiedendogli cosa desiderasse bere. Guardò poi me con un cenno di cortese offerta del mio vassoio. Accennai di sì.
«Que quiere beber?»
«Agua. Con gas, por favor.»

Diedi due sorsate direttamente dalla bottiglietta. Mi accorsi di avere sete più di quanto desiderassi bere. La bevvi quasi tutta in un sorso lasciando il vassoio del cibo intatto. Avrei subito voluto adagiarmi comodo nella poltroncina per riprendere sonno, ma il vassoio me lo impediva. Decisi di spostarlo, ma non c'era altro posto dove metterlo. L'hostess ci aveva superati continuando il servizio. Guardai davanti tra i sedili per vedere cosa combinava Leonìno. Si alzò e venne verso me col vassoio in mano. Fece un cenno di scuse al mio vicino protendendosi a scambiare il mio vassoio col suo che aveva già spazzolato.

«Ma mi lasci qui quello vuoto?»
«Scusa!»
Mise il suo vassoio vuoto sotto il mio.
«L'acqua l'ho bevuta però...» dissi, mostrandogli la bottiglietta quasi vuota.
«Fa niente, fa niente. Ho là il vino.»

Augurò buon appetito al mio vicino, che non riuscì a trattenersi dal ridere e mi guardò benevolo. Mi girai verso il finestrino.
L'oceano, sgombro da nuvole, rispecchiava la luce del sole al tramonto. Era tutto arancione. Continuavo a sentirmi vuoto. Mi bastarono pochi attimi e il «monotonìo motoràle dell'avione» mi ricondusse nel sonno.

In partenza da Milano, puntato davanti al tabellone dei voli in arrivo come un cane in ferma, Leonìno cercava l'indicazione del nostro aereo.

Non aveva neppure appoggiato a terra la valigia e con il borsetto a tracolla, una sacca nell'altra mano, e il naso all'insù, pareva il bronzo di un moderno pioniere.

Lo sfarfallio delle tessere elettriche, che componevano nuove destinazioni e ne aggiornavano altre, gli muovevano la testa come stesse inseguendo un moscerino su una caraffa di birra. Braccava l'alfabeto che continuava a comporsi, sparire, per poi riapparire composto su un'altra riga, tentando di fermare il vocabolario che subito ricominciava a tremolare per scomporsi nuovamente appena stava per picchiargli addosso. Trepidava.

«Non c'è il nostro!»

«Leonìno, questo è il tabellone degli arrivi. Noi dobbiamo andare al ceck-in delle partenze.»

«Come? Sanno che dobbiamo andare dal Cèchino?» disse guardandosi in giro.

«Vieni, seguimi.» Lo precedetti rapidamente affinché non si accorgesse che stavo ridendo.

Le operazioni d'imbarco furono rapide e senza intoppi. L'aereo rollava ormai verso la pista di decollo.

«Ma non fanno l'appello?»

«Che appello?»

«Come fanno a sapere se ci sono tutti?»
«Non è che a loro interessi se qualcuno manca.»
«Ehh, si vede che questi non aspettano.»

Appoggiai la nuca alla testiera aspettando la spinta d'accelerazione. Mi imitò, ma con più rigida postura impugnando i braccioli con energia. Sembrava un astronauta.

Sulle Alpi si slacciò la cintura di sicurezza vedendo che altri passeggiavano tranquillamente per il corridoio. Passarono con i giornali e dopo averli spiluccati non ne prese alcuno.

Ogni cosa era pretesto di commenti e domande, e dopo le prime spiegazioni, per metterlo a proprio agio, decisi di sorvolare su molte altre.

Ero un po' frastornato.

La sera avanti avevo dormito poco e piuttosto male, ma non volevo rilassarmi fino allo scalo di Madrid, che era ormai prossimo; dopo ci sarebbe toccata una trasvolata di quattordici ore, avrei avuto tutto il tempo di recuperare energie con una buona dormita e pensare ai dettagli di quella che ormai mi sembrava una missione.

Lo scalo madrileno fu agevole, e presto fummo sull'aereo transatlantico due volte più grande del primo.

Mi prese una leggera emicrania.

Leonìno si adagiò nella nuova poltrona. Pareva un cardinale.

«Ma come mai non paga nessuno?»
«Fa parte del servizio», gli dissi.
«In che senso? Che è tutto nel prezzo?»
«Sì, del biglietto.»
«E quello l'abbiamo già pagato, no?»

Ebbi un'esitazione; fui troppo prudente per la sua prontezza. Aveva già dato tre colpi di tosse farfugliando «ehi», «scus...», per richiamare l'attenzione della hostess alla quale, poco prima, aveva detto di non volere nulla pensando di dover pagare. Questa si voltò sorridente prestando attenzione all'indice proteso che la puntava.

«Please?»

«Eeeh... allora...»

Il dito alzato tenne in attesa l'inserviente finché con un colpo di fioretto trasformò la mano con il pollice verso la bocca come un collo di bottiglia. Compiacente la hostess si girò sul carrello per prendere una bibita e gliela porse.

Trasformò la manesca fiaschetta in un tergicristallo, con l'indice alzato che scodinzolava da destra a sinistra per dirle di no. Lei sorrise nuovamente prendendo una bottiglia di spumante, e mostrandogliela, attese il consenso sulla giustezza della scelta.

«Proprio quello!»

Gli riempì un bicchiere e glielo servì.

Mentre Leonìno brindava alla pantomima interpretata, mi vennero in mente le raccomandazioni di Luisa.

«Tienilo d'occhio. Non è più quello di una volta... neanche lui.»

Pedalava per ottanta chilometri tre volte la settimana e lei si dava pensiero dei 'giretti' che lui le confessava.

«È sempre stato sano fortunatamente, anzi si può dire che non ha mai neanche avuto un raffreddore; però l'età è andata su anche per lui, e non se ne rende conto.»

Una settimana prima della partenza gli chiesi di fare un elettrocardiogramma.

Dai racconti dello zio avevo verificato in agenzia l'esistenza di un treno che, da Salta, partiva per un'escursione fino al confine con il Cile, a una quota di oltre quattromila metri; perciò lo avevo obbligato a una visita cardiologica; non volevo trovarmi sulla cordigliera andina con lui colpito da un collasso.

Questa premura tranquillizzò Luisa.

«Guarda che tutti gli anni faccio la visita di medicina sportiva sotto sforzo, per rinnovare il tesserino dei cicloamatori del mio gruppo atletico», disse risentito.

«Non è per me, hai sentito cosa ha detto Luisa.»

«Certo! La tabagista! E poi russa, russa.»

«Tutta notte?» finsi di chiedergli per sdrammatizzare.

«Tranne quando si alza a fumare.»

Vide l'hostess che tornava. Si affrettò a finire quel che rimaneva nel bicchiere e glielo porse; ma quando lei fece per ritirarlo, Leonìno lo trattenne, indicando con l'altra mano di riempirglielo nuovamente. Una volta servito mi guardò soddisfatto dandomi di gomito e si adagiò con tutta la schiena nella poltrona. Pareva un papa.

Pace amen. Eravamo partiti! Da lì in avanti non potevamo che continuare. Sapevamo dove andare, cosa cercare e cosa fare. Più o meno come lo zio.

Scrutavo Leonìno con la coda dell'occhio, sprizzava felicità da tutti i pori. Quando non si dava posture papaline, pareva un bimbo a una festa paesana, estasiato dai baracconi chiassosi e variopinti.

Volevo dormire, ai dettagli dell'impresa avrei pensato più tardi. L'emicrania sarebbe scomparsa schiacciando un sonnellino.

«Io cerco di dormire; tu puoi ordinare quello che vuoi, è tutto compreso nel prezzo», gli dissi, «se desideri, puoi alzarti e passeggiare per l'aereo, oppure seguire il film che stanno proiettando, oppure riposare dormicchiando, vedi tu.»

«Come si fa a sentire il cinema?»

«Prendi le cuffie e premi uno dei tasti vicini ai diffusori per scegliere la lingua di ascolto.»

Calzò le cuffie e cominciò a schiacciare i bottoni freneticamente. Non volli sapere e nemmeno immaginare cosa capisse delle due lingue alternative all'italiano che non era programmato. Pareva già un miracolo non sentirlo parlare.

Mi adagiai nella poltrona, chiusi gli occhi e finsi di addormentarmi subito.

Le sei candele della lampada da tavolo illuminavano a malapena il libro che stava consultando.

«Avanti!» rispose senza esitazione ai tre colpi battuti sulla porta.

«Ciao Rosa, sono il Guido.»
«Che Guido?»
«Ol Cechì.»
«Cosa fai qui a st'ora?»
«Da quando è tardi quest'ora?»

Non era così tardi. Altre sere era arrivato molto più tardi. Si ritrovavano una volta alla settimana quattro o sei uomini. Rosa metteva a disposizione casa sua per loro, che nelle osterie erano impediti dalle disposizioni d'ordine pubblico.

«La persona educata non bestemmia e non sputa per terra.» «In questo locale è vietato il gioco d'azzardo e il gioco della morra.»

Perciò quei quattro, a volte sei con due bresciani, che avevano la passione di puntare su uno scopone, un cotecchio o su un tresette, trovavano da lei la soluzione.

Procurava delle bottiglie di vino, dei biscotti, e di tanto in tanto, quando non avevano troppa voglia di giocare, salame, formaggio e michette. Non c'erano equivoci. Finita la serata, le lasciavano i soldi per il disturbo.

«La Rosa delle carte.» «La profeta.» «La striona.» Non era solo una cartomante.

Sistemati i figli, senza un marito, aveva cominciato a leggere i tarocchi creandosi la fama di fattucchiera. Ricorrevano a lei in maggioranza donne; da alcune si faceva pagare, altre le mandava via dopo la consultazione dando loro i soldi per pagare il libretto «carta zucchero» dello stoccaggio mensile. Tornavano da lei quando potevano restituirle il denaro con un semplice grazie di interesse.

«Sei venuto per le carte?»

«Rosa... da quando mi faccio fare le carte?»

«Cosa fai qui allora?»

«Ho da chiederti un favore, un grosso favore. Mi hanno offerto un contratto di lavoro in Argentina, un impresario italiano che c'è giù là ha bisogno di idraulici che sappiano fare bene il loro lavoro.»

«Perché, qui lo fai male? Devi andare fino in Argentina per farlo bene?»

«Certo, ma qui... poi è meglio che vada via. Solo che non ho i soldi per il viaggio. Il contratto paga da quando sbarchiamo a Buenos Aires. Fino là dobbiamo pensarci noi.»

«Allora non sei solo.»

«No. Siamo in tre. Io, il Massa e Lifaschi.»

«Quanto ti occorre?»

«Centoventottomilalire.»

«Quando ti servono?»

«La nave parte da Genova tra venticinque giorni.»

«Hai già firmato il contratto?»

«Senza i soldi per la nave non firmo niente.»

«Quand'è che puoi firmare?»

«Anche domani.»

«Perché andate in tre?»

«Facciamo squadra, ma gli altri due non si muovono senza di me.»

«Sei deciso?»

«Se voglio smettere di fare il portaferri a mio fratello per la mancia della festa, per forza. Manca solo che mi faccia portare la squadra tonda come a uno scemo.»

Le sarebbe mancato.

«Domani firma e dopodomani passa da me.»

Una scossa al braccio mi fece spalancare gli occhi.

Afferrai il gomito dolorante massaggiandolo. Leonìno al fianco mi guardò dispiaciuto.

«Cosa... combini?»

«Scusami non l'ho fatto apposta.»

Con un leggero pugno mi aveva colpito il nervo ulnare facendomi sobbalzare dal sonno e dalla poltrona.

«Ti svegliavo perché stanno passando a servire il mangiare. Non volevo farti prendere la scossa.»

«Ma quanto ho dormito?»

«Una mezz'oretta.»

Era solo da tre ore che eravamo partiti da Madrid. Per il resto del volo ebbi pace le volte che mi recai alla toilette e in quella mezz'ora di sonno; troppo poco per recuperare un po' di energie.

Leonìno riprese a raccontare della Bolivia, poi della carriera ciclistica abbandonata, inconciliabile col lavoro, delle incomprensioni con Luisa e di quelle con le figlie. Più lui parlava, più aumentavano in me dubbi, che credevo superati. Forse non era stata una buona idea portarlo con me. Tra un pranzo e l'altro non restò zitto un momento. Lo guardavo frantumare cibo a quattro ganasce come un frantoio, chiedendomi se anche lui fosse un po' preoccupato.

«Va tutto bene?» gli domandai.

«Meglio di così si muore.»

La tratta da Buenos Aires a Salta fu decisamente più agevole della trasvolata.

Arrivammo in due ore, e recuperati i bagagli facemmo una breve fila alla piazzola dei tassì.

Quarant'anni prima lo zio si era fatto ventotto giorni di traversata atlantica e tre giorni di treno da Buenos Aires.

«In centro», dissi al tassista.

La città era animata ma il traffico tranquillo. In mezz'ora fummo in prossimità del centro. L'autista ci chiese dove lasciarci. Gli domandai se conosceva un buon albergo, non di lusso ma decente.

«El Continental. Es soberbio!»

Leonìno aveva parlato, mangiato e bevuto fino a Buenos Aires. Quattordici ore.

Si era zittito durante le operazioni di trasbordo da un aereo all'altro, seguendomi di un passo come un carrettino a barra fissa e con due occhietti sempre più piccini. Fulminee incertezze nella camminata gli accorciavano, di tanto in tanto, prima una gamba poi l'altra, a volte la stessa per due volte. Qualcuno lo guardava incuriosito. Testimone di quanto gli avevo visto sbevazzare, sapevo che era in un leggero stato d'ebbrezza.

Il tronco, ritto come un fuso, scuoteva le spalle ad ogni passo con scatti sincopati; del bronzeo pioniere alla partenza da Milano non rimaneva un granché; riprese a chiacchierare sul nuovo aereo, fino all'atterraggio a Salta dove rimase zitto fino a che salimmo in tassì; quindi ancora chiacchiere, e sempre in bergamasco.

Il tassista sbirciò nello specchietto retrovisore per tutto il tragitto cercando di capire che lingua parlassimo.

«Gringos?» chiese fermandosi davanti all'hotel.

«Italiani», risposi.

«Ah italianos», disse sorridente e tranquillizzato, «Vo-ola-a-ree..., pero vuestro idioma non es italiano.»

«Bergamasco», dissi aiutandolo a prendere i bagagli dal baule dell'auto.

«Es un idioma pampero de Italia?»

«Già!» risposi salutandolo.

«Ciiao, ciao, bam-bi-na», salutò a sua volta scherzosamente.

L'albergo non era superbo come aveva detto il tassista, ma più che buono.

«Ho pensato, se ti va bene, di prendere una stanza a due letti. Ci costa qualcosina in meno. Però, se preferisci, possiamo prendere delle camere singole.»

«No, no, va benone la stessa camera. Così ci facciamo compagnia.»

Erano le cinque pomeridiane. Non mi pareva di essere stanco. Sentivo solo la testa un po' appesantita. Una doccia mi avrebbe scrostato tutte le parole di Leonìno che, dopo venti ore di viaggio, sentivo appiccicate dappertutto.

«Valerio?»

Rientravo dal bagno asciugandomi i capelli con la salvietta.

«Quello lì deve essere un frigorifero. C'è dentro ogni ben di Dio», disse alzando verso di me una bottiglietta di bianco coperta di vapore. Doveva averla tolta da qualche minuto senza però stapparla.

«Non è che così si scalda troppo?»

«È che non trovo il cavatappi», disse guardandosi intorno come dovesse trovarlo appeso al muro, «dici che bisognerà chiederlo a loro?»

«Non è necessario.»

Presi la mia sacca da terra, tirai la cerniera e da un astuccio estrassi un cavatappi.

«Sei un genio!» esclamò strappandomelo dalle mani. «Si vede che sei abituato a viaggiare.»

Solo al *plòp* del tappo s'accorse di non avere preparato i bicchieri.

«Orca, non ci sono bicchieri!»

Mi guardò come se dovessi estrarre dall'astuccio anche quelli. Pensai che sarebbe stato più saggio prendere due stanze singole.

«Sul lavabo dovrebbe esserci qualcosa.»

Si diresse spedito in bagno. Ritornò con il bicchiere nella destra e la bottiglietta, che non aveva mollato, nella sinistra. Prima di versarci il vino si fermò a guardarmi. Appoggiò il bicchiere sul tavolino della stanza per ritornare in bagno e ricomparire con un altro bicchiere.

«Io non bevo!» dissi prima che versasse.

Mi guardò deluso.

«Non ho voglia di vino.»

«Che peccato!»

Appoggiò la bottiglietta sul tavolo e bevve una sorsata lasciando il bicchiere vuoto per metà.

«Qui c'è da bere sempre dappertutto!» disse soddisfatto.

«Guarda che non siamo più in aereo.».

«Cioè?»

«Qui in albergo le consumazioni si pagano.»

Rimase perplesso, ma solo un attimo.

«Ma come fanno a sapere cosa abbiamo bevuto?»

«In ogni frigobar ci sono sempre le stesse bevande e al mattino, quando riordinano la stanza, sostituiscono quello che manca e lo addebitano alla camera. Alla fine fanno il conto di tutto. Se guardi sopra il frigorifero c'è l'elenco delle bevande con i prezzi.»

Usai un tono distaccato per non allarmarlo, mi guardò come se gli avessi inferto una coltellata.

«Ma i soldi, li abbiamo?»

«Certo», risposi cauto, «ma... insomma...»

«Bene, bene!» E finì di trangugiare quanto era rimasto nel bicchiere. «Io non ho intenzione di portare a casa il resto. Usali pure tutti. Gloria al Cècco!»

Il costo della stanza comprendeva la prima colazione. Spiegai quindi a Leonìno le mie abitudini.

«In vacanza o in viaggio, sono solito fare colazione abbondante in albergo, mangiare qualcosa a pranzo come un panino, un tramezzino, e la sera cenare in qualche ristorante per scoprire e assaggiare le specialità del posto. Ti può andar bene?»

«Benissimo! Valerio, sono nelle tue mani, tu dimmi quello che preferisci fare e io ci sono. A proposito, che ora è?»

«Quasi le sei.»

«Non qui, in Italia.»

«Senti già la nostalgia di casa?»

«No, è solo una curiosità.»

«Non so esattamente, mi pare ci siano tre o quattro ore di differenza.»

«In più o in meno?»

«In più.»

«Quindi sarebbero quasi le dieci di sera da noi?»

«Sì, se non sbaglio. Vuoi telefonare a casa per tranquillizzare Luisa che siamo arrivati e va tutto bene?»

«Cosa ne dici tu? Mi sembra di farle tirare il fiato avvertendola che siamo arrivati.»

Sembrava teso, quasi preoccupato; mi fece tenerezza.

«Ma certo, quando usciamo vedremo di organizzarci per telefonare.»

«Bene, mi do anch'io una rinfrescata.»

Erano le sei, passate da poco. Chiesi conferma al portiere sul fuso orario con l'Italia.

«Roma? Cuatros oras!» confermò, e riponendo la chiave sul gancio ci augurò una buona serata.

Fuori, nella piazza, l'aria tiepida bisbigliava che più tardi si sarebbe rinfrescata.

Mi prese il panico di incontrare la Tosca, che addirittura ci spiasse da qualche angolo della piazza. Ma come avrebbe potuto riconoscermi? Diedi comunque uno sguardo in giro, c'era animazione ma nessuna frenesia e soprattutto nessuno ci spiava.

«Cosa dici? Andiamo un po' a zonzo?»

«Come vuoi, problemi a camminare non ne ho. Così tiriamo l'ora di cena; ricordati però che dobbiamo telefonare.»

La luce del giorno segnava il passo e dal centro della piazza, oltre le case di due o tre piani, si vedevano le montagne intorno, tinte di rosa pallido e freddo. Un'altra luce, elettrica e smorticcia, proveniva indecisa dai lampioni. Dalle botteghe, rischiarate da luci altrettanto fioche, giungevano musiche trasmesse dalla radio.

Salta, «La Linda».

Leonìno, di un passo avanti, beccheggiava con la testa ammirando ogni cosa che sfocava, voltandosi continuamente a controllare se anch'io vedevo le stesse cose.

Sentii un'improvvisa pressione sui polmoni che in breve svanì lasciandomi la cassa toracica colma di ansia e inquietudine.

«Cos'hai?»

«Niente, niente.»

La città, nel *plano* che avevo preso alla portineria dell'albergo, si lasciava decifrare: a pianta quadra, come un accampamento militare romano. Non sarebbe stato difficile orientarsi.

Le abitazioni, a loro volta quadrate, avevano fregi barocchi di stile coloniale, la cui efficacia decorativa si staccava spesso dall'originalità del fabbricato sfigurando sia nel bene, che nel male. Gli intonaci appartenevano più a paesucoli rivieraschi di scogliere mediterranee, con enormi righe di colore solitamente più scuro, a cornice di finestre e balconi.

Per le vie si alternavano cantine, bar, portoni di caseggiati e palazzi aperti sugli androni, cancelli che rinchiudevano cortili, bottegucce che preparavano focacce, frittate d'ogni tipo, che la gente si mangiava per strada passeggiando.

Superammo una *cantina* che davanti all'ingresso aveva disposti dei tavolini. Mi colpì l'insegna: «El gringo». Mi ricordò la scritta sul retro della fotografia a mezzobusto della Tosca dedicata al Cècco. «A mi gringo, a mi bien, a mi sueño, mi amor.»

«Che dici? Ci facciamo un aperitivo?»

«Pronti!» disse infilandosi nel locale.

Fu davanti al bancone in un batter d'occhio, con le mani appoggiate al bordo come un bambino in attesa dello zucchero filato. Fissava sorridente l'oste, intento ad asciugare bicchieri, che a sua volta, vedendo quell'ometto felice e deciso, sorrise bonariamente.

Mi sembrò un quadro di Hopper: locale deserto, un

avventore, un barista, l'insegna: «El gringo». Lui, Leonìno, insaccato nella sua mole: «El Gringhíto».

Doveva aver aperto da poco. C'era odore di chiuso, di
fritto e fumo, miscelati e stagnanti.
«Non si fa a tempo a proporti una cosa che parti in
quarta.»
«Ah, io sono così, quando una cosa mi va bene non ci
penso due volte.»

Ordinai una birra, lui una coppa di vino; come fummo seduti ricominciò a parlare delle stesse cose già det-
te in aereo, con lievi sfumature di nuovi particolari insi-
gnificanti, ai quali attribuiva un'importanza metafisica.
Non si lagnava della sorte che gli era toccata; consta-
tava.
«Sai... quando hai tempo solo per lavorare. Se avessi
voluto avrei fatto anch'io i soldi, ma a me è sempre piaciuto spenderli più che guadagnarli. Pensa te, che quando c'erano gli scioperi generali ero l'unico artigiano della bergamasca che chiudeva bottega. Ah sì, io li ho sempre fatti gli scioperi. Soprattutto quelli dei metalmecca-
nici. Io non c'entravo niente, però li facevo. D'altronde,
lattoniere... ero coerente, no? E dopo il corteo, io e il
Cècco andavamo con il mio motocarro a fare festa.»
E concludeva che il suo destino era stato «così» mentre per altri era stato «cosò»; ma non provava invidia
per la sorte degli altri.

Alzò verso il barista la coppa di vino vuota, ammic-
candogli di portarne un'altra.
«Prendi un'altra birra anche tu!»
«No, questa basta, e poi sono un po' stanco. Probabil-
mente comincio a sentire la durezza del viaggio.»
Si scostò leggermente dal tavolino:
«Non devi buttarti giù, bevi qualcosa di più forte.»

Il barista arrivò con l'ordinazione, gli domandai a che ora aprissero i ristoranti.

«Mediamente a las nueve.»

Ce ne indicò uno, nel quale avremmo potuto mangiare specialità salteñe senza spendere troppo.

«Chiedigli se si può telefonare da qui, lì sul muro c'è un telefono», disse Leonìno.

Ci spiegò che potevamo telefonare direttamente oppure con una tessera telefonica che ci avrebbe venduto.

Gli dissi che andava bene la tessera, così potevo provarla subito e utilizzarla nei giorni successivi. Mi mostrò gentilmente come funzionava passandomi la cornetta per comporre il numero appena ci fu la linea.

Leonìno dal tavolo non mi toglieva gli occhi di dosso. Feci il numero di casa; rispose la segreteria telefonica sulla quale lasciai un messaggio di saluto e di rassicurazione. Leonìno continuava a fissarmi apprensivo. Gli feci cenno di avvicinarsi.

«Dimmi il tuo numero che non lo ricordo.»

Estrasse da un taschino del giubbetto una piccola agenda e me lo lesse.

«Pronto? Luisa? Sono Valerio, ti saluto e ti passo Leonìno.»

Gli porsi la cornetta e tornai al tavolino per lasciarlo solo. Non feci in tempo a sedermi che riagganciava il ricevitore.

«È caduta la linea?»

«No, l'ho salutata, le ho detto che va tutto bene.»

«Sei stato telegrafico. E la tessera?»

«Quale tessera?»

«Quella telefonica...»

Si voltò verso l'apparecchio dove da una bocchetta sporgeva la tessera per metà. Andò a recuperarla e riconsegnandomela si sedette, prese la coppa di vino e lo finì.

«Tutto bene a casa?»

«Mi ha detto se era l'ora di telefonare.»

Non avevo pensato al fuso orario, in Italia era quasi mezzanotte. Ecco perché anche mia moglie non c'era, era sicuramente a casa di sua madre.

«Stava dormendo?»

«No, sta guardando non so cosa alla televisione», disse con sufficienza. Poi aggiunse:

«Sono le otto. Dobbiamo aspettare ancora un'oretta?»

«Vuoi che facciamo una passeggiata o che beviamo ancora qualcosa?»

«Direi che vale la pena di aspettare qui, va' che bello! Ci siamo solo noi e possiamo chiacchierare tranquillamente.»

Allo stesso gesto di prima il barista gli portò un'altra coppa.

«Leonì, non sono i nostri calici questi, sono di almeno un quarto.»

«Ho visto, ho visto.»

«Be', ma alla fine ti sei bevuto un trequarti! Sicuro di tenerlo?»

«Lo tengo lo tengo.»

Alzò la coppa di vino e la picchiò contro la mia caraffa.

«Non sarà mica una *cópa de tinto* che ammazza un uomo.»

Erano tre, ma non ne ordinò altre.

Usciti per raggiungere il ristorante, vedemmo lungo la strada l'insegna di una pizzeria. Non avevo appetito; la pesantezza alla testa si era trasformata in emicrania e la poca birra che avevo bevuto mi aveva dato nausea allo stomaco, l'unico desiderio era di coricarmi e dormire, ma mi rincresceva lasciarlo solo.

Gli proposi una semplice pizza per poi raggiungere l'albergo e finalmente riposare.

«So che la pizza in Argentina non è una specialità, ma non me la sento di sedermi a tavola e cenare con tutti i crismi.»

«Per stasera va benissimo. Sono nelle tue mani.»

Le sirene, tutte spiegate per cinque minuti, annunciavano il passaggio dell'equatore. La gente si era portata sui ponti credendo di vederne la riga, ma era buio.

Il Massa, cereo in volto, si staccava dal finestrone del salone delle feste per correre a vomitare.

«Massa! Ostia! Devi mangiare. Se vuoi che ti passi il mal di mare devi continuare a mangiare; devi sempre tenere lo stomaco pieno e quando hai la nausea devi sforzarti di mangiare lo stesso, altrimenti non ti passa più.»

Il Lifaschi menava la testa guardando il Massa vomitare dal ponte di prima classe. Lo avevano raggiunto clandestinamente, seguendo la musica che giungeva dal salone delle feste, dove impartivano il battesimo di Nettuno ai viaggiatori che superavano l'equatore per la prima volta nella vita.

«Pensa 'sti qua che fiera! Hanno bisogno dell'equatore per divertirsi.»

Il Lifaschi scosse la testa.

Il salone era addobbato in pompa per la cerimonia.

Nettuno: corona in testa, mantellina di ermellino, scettro nella sinistra, ciotola nella destra; battezzava il neofita remissivo che cercava di schivare l'acqua per salvare l'acconciatura impomatata.

«Chissà perché noi non ci battezzano?»

Finito il cerimoniale l'orchestra riprese a suonare e la gente a danzare.

«Guarda che donne, Lifa!»

Il Cècco strabuzzava gli occhi, il Lifaschi annuiva con la testa, il Massa seguitava a vomitare.

L'ultima sirena a tacere fu quella bassa e lugubre che segnala la presenza di navi nella nebbia.

Svegliati, lavati e stirati, scendemmo per la colazione.

«Io prendo solo il caffè», disse versandosene una tazza colma.

«Sarebbe meglio che mangiassi qualcosa», gli suggerii.

«Non sono abituato. Il mattino bevo solo una tazza di caffè.»

«Se, come ti ho detto ieri, pensiamo di cenare abbondantemente la sera limitandoci a uno spuntino a mezzogiorno...»

«Non mi ricordavo.»

Tagliò in due una focaccia ancora tiepida, la farcì di pancetta e salame. Sgusciò due uova sode. Si mise tutto nel piattino. Cercò per un istante tra le caraffe di latte, acqua e bibite.

«Unas birras», chiese al cameriere che lì vicino stava approntando altri tavoli.

Questi sbalordito si avvicinò per farsi ripetere l'ordinazione.

«Una cerveza, por favor», intervenni.

«No, no, una birra.»

«Certo. La birra si dice *servesa*», aggiunsi sottovoce.

«Ah! Una *servesa* allora», ripeté al cameriere, «ecco perché in Bolivia ridevano, quando ordinavo *unas birras*.»

Finito che ebbe di scolarsi la birra direttamente dalla bottiglia, bevve il caffè ormai tiepido.

«Che ore sono?»

«Quasi le nove.»

«Allora in Italia è l'una?»

«Nove e quattro tredici... sì è l'una.»

«Avranno già pranzato da noi.»

«Immagino. Vuoi richiamare Luisa?»

«No, no. Chiedevo così, tanto per regolarmi. Bona, sono pronto!»

Stavo per chiedere al personale della portineria informazioni sulla città, quando pensai che andando a zonzo con la cartina della sera prima, ci saremmo prima o poi imbattuti in qualche agenzia di viaggi o ufficio turistico.

Uscimmo dall'albergo.

La piazza, inondata dalla luce mattutina, sembrava diversa dalla sera prima. Leonìno, al mio fianco, aspettava che prendessi una direzione per seguirmi e mi guardava per capire cosa stessi guardando a mia volta. Come la sera avanti, ebbi timore di incontrare la Tosca.

A un vigilante, che camminava nella nostra direzione, domandai dove potevo trovare un ufficio turistico. Mi indicò sulla cartina la serie di giravolte da seguire. Ringraziai e ci avviammo.

«Hai capito dove andare?» si preoccupò Leonìno.

«Sì, non è lontano.»

La città non era particolarmente animata.

Arrivammo all'ufficio turistico un quarto d'ora prima dell'orario d'apertura. Era sull'angolo di un fabbricato. Di fronte, all'altro capo della via, c'era un bar. Proposi di bere un caffè nell'attesa che l'ufficio aprisse.

Leonìno ordinò una coppa di vino rosso.

«Leonì? Alle dieci di mattina un quarto di rosso?»

«Per digerire la birra! Faccio fatica a digerire la birra se la bevo al mattino. Non so come mai, ma mi mette acidità. Devono essere le spezie dei salumi che non si sposano con la birra.»

«Perché non hai bevuto il caffelatte?»

«No, no! Il latte è ancora peggio. È che mi sembrava esagerato chiedere del vino al cameriere.»

Mi mancavano i dettagli sul suo metabolismo.

Gli impiegati, mezzo addormentati, si stupirono che ci fosse già qualcuno che cercava informazioni appena aperto.

Chiesi conferma dell'escursione in treno per la via delle miniere. Mi dissero che bastava prenotare con un giorno di anticipo. Poi mi dettero, con relativi dettagli, il materiale informativo su quanto c'era d'interessante da visitare a Salta. Caldeggiarono, tra le tante cose, un'escursione in pullman che durava una giornata, in una zona vinicola prossima alla città, con assaggio della produzione, pranzo in una *estanca*, e facoltà di acquisto dei vini prodotti.

Leonìno, al mio fianco, aveva afferrato abbastanza da darmi una leggera gomitata suggerendomi di non lasciarci scappare un'occasione simile.

«Prenota, prenota!»

Presi il materiale ringraziando. Leonìno non si schiodava dal banco.

«Andiamo, abbiamo finito.»

«Perché non hai prenotato la gita del vino?»

Mi girai verso di lui per parlargli direttamente fissandolo negli occhi. Mi diedi un'impostazione artificiale per dare maggior peso alle parole.

«Leonì, prima di fare gite o vacanze spensierate, voglio sistemare la storia della Tosca e togliermi il pensiero per cui siamo qui. Oggi visitiamo qualcosa in città, a pranzo mangiamo un panino e stasera una buona cena, magari in un ristorante tipico argentino.»

Presi dalla tasca cento pesos e glieli porsi.

«Questi sono cento pesos. Sono duecentodiecimilalire circa, li usi per le tue spese, o, se vuoi, per comprare qualcosa, dei regalini per Luisa, le figlie o che altro; fanne quello che vuoi. Del resto sono tuoi; il viaggio l'abbiamo già pagato, l'albergo, sappiamo quanto ci costa, e io, man mano, tengo il conto di quanto spendiamo.»

«Giusto! Quando li abbiamo finiti torniamo a casa!» E si intascò i cento pesos.

Due musei. Uno di minatori, l'altro di storia della città.

Il primo poteva essere di qualsiasi paese al mondo generoso di suoli minerari; l'altro era soprattutto ricco di cimeli e di quadri storici.

Non ero mai riuscito a capire cosa avesse spinto lo zio fin lì per fare un lavoro che in Italia, negli stessi anni, aveva fatto la fortuna di molti.

Leonìno non smise un solo momento di commentare. Fu una mattinata vertiginosa, che toccò più volte punte epiche. L'ammirazione per il Cècco gli aumentava man mano che veniva a sapere qualcosa di più della storia locale.

Trovò, da prima, una vaga somiglianza fisica tra mio zio e Don Hernando de l'Herma fondatore della città, ritratto in quadri che illustravano le sue gesta con grande retorica; poi gli sembrò totale, vedendolo scolpito a cavallo al centro di una grande sala.

«Hai visto che roba! Bello, proprio bello», fu il suo commento.

Non riuscivo, come lui, a godere delle cose viste. Sapevo che si avvicinava il momento di prendere contatto con il viceconsole e avrei potuto rimandare non più di un giorno o due. Leonìno non alludeva mai al motivo per cui eravamo lì. Avrei gradito qualche accenno, anche solo per solidarietà. Niente! Sembrava a una festa di mezza stagione.

Ricominciavo a sentire, come la sera avanti, la testa appesantita. Non c'era più la scusa del lungo viaggio e la mattinata, tolta la verbosità di Leonìno, era stata tranquilla. Il mio malessere, in realtà, veniva dal pensiero di ritrovare la Tosca e di doverla poi incontrare.

«Ti va bene se mangiamo qualcosa? È quasi l'una.»
«Se è l'una, vuol dire che in Italia sono le cinque.»
«Sì», risposi distratto.

Mi ero addormentato a occhi aperti e la sua domanda mi scosse.

«Cosa ne pensi?»

Non ero stato ad ascoltarlo.

Mentre parlava, facendo domande e dandosi risposte, avevo continuato a pensare alla faccenda della Tosca ma non ricordavo niente di quello che mi era passato per la testa. Figuriamoci se avevo capito quello di cui aveva parlato per mezz'ora.

«Cosa ne pensi?» ripeté con un tono di voce più alto.

Amareggiato per non avergli prestato attenzione sbottai all'improvviso:

«Scusami, ma bisogna che telefoni al viceconsole.»

«Ti capisco!»

Il viceconsole fu gentile.

Dopo la breve spiegazione per telefono, che conclusi con la richiesta di un appuntamento, ebbe la cortesia di riceverci subito.

«Da dove sta telefonando, sono solo tre barrios per il consolato italiano, se le funcsiona può anche venire all'istante.»

L'immediata disponibilità mi colse di sorpresa.

Quando dissi a Leonìno che il viceconsole ci aspettava, si alzò dalla sedia con una calma olimpica.

«Sono pronto!»

Il funzionario all'ingresso ci accompagnò, con molta affabilità, dalla segretaria.

«Signor Duomo? Don Pedro Casati è console italiano di Salta da due mesi ed è onorato di riceverla.»

All'annuncio del nostro arrivo il console si alzò dalla scrivania venendoci incontro. Intimorito, cedetti il passo a Leonìno al quale il console diede per primo la mano salutandolo cordialmente.

«Signor Duomo, mi gusta conosierla.»

«No, io sono Leonìno», gli disse in bergamasco.

Rimase un attimo perplesso, finché non mi avvicinai tendendogli la mano.

«Sono io Duomo. Sono io che ho telefonato.»

«Me perdone signor Duomo. Ma prego, accomodatevi.»

Ci invitò a sederci. Un piccolo divano e due poltrone erano disposti ai lati di un tavolino rettangolare. Il console sedette su una poltrona, Leonìno, con portamento aristocratico, sull'altra. Sul divano, dove presi posto, mi sentii smarrito. Il console colse il mio imbarazzo e fece in modo di mettermi a mio agio intavolando subito il discorso.

«In cossa posso esservi utile?»

«È una storia un po' lunga e che forse non ci porterà a niente», dissi con tono dimesso.

«Cominci. Proviamo almeno a sentirla questa storia.»

«Parla, parla», mi esortò Leonìno sempre più olimpico.

Sudavo.

Raccontai la storia del Cècco per sommi capi, quindi della sua vita e infine di quell'ultimo desiderio. Mi interruppi più volte per sottolineare la difficoltà dell'impresa e anticipandogli tutta la mia comprensione se non fosse riuscito ad aiutarmi.

Dovevo essere stato esasperante.

Fece due pause. La prima, per offrirci un liquore leggero, la seconda, all'ennesimo tentennamento nel racconto, per proporci un sigaro.

Rifiutai educatamente.

Figuriamoci Leonìno; col bicchierino di liquore in una mano, si protese con il sigaro trattenuto in bocca dall'altra per farselo accendere. Pareva un principe ereditario che ospitava il console con la clemenza che si concede a un servo un po' tonto.

L'avrei preso a sberle.

Il diplomatico accennò un amabile sorriso.

«Vediamo cossa possiamo fare», disse prendendomi dalle mani le lettere e le fotografie che avevo portato.

Si alzò dalla poltrona per consultare dei faldoni in una libreria che occupava per metà le pareti della stanza.

Inforcò dei piccoli occhiali presi dal taschino. Borbottò tra sé prendendo un faldone e lasciandone un altro. Infine tornò verso di noi senza fretta, sedendosi sulla poltrona con il faldone aperto.

«La segnòra Tosca Livi, nata a Salta da matrimonio misto, è sposata. Suo cognome ora è Corona. Sposata a Corona... Carlito, nato a Salta, di origini italiane... abìta in càiie Los Abedules, duecentododici.»

Levò gli occhi dal faldone, guardandomi da sopra gli occhialini, soddisfatto della ricerca. L'aveva trovata.

«Hai visto che c'è», disse Leonìno soddisfatto più del console.

«Sarà lei?» chiesi preoccupato.

«No manca che esaminarlo.»

Mi guardava da sopra gli occhialini intuendo il mio timore.

«Se desidera... faccio interprete con una telefonata e anticipo alla segnòra sua visita?» disse con estremo tatto.

Non sapevo cosa rispondere. Lo guardavo interdetto. Non mi aspettavo che la cosa si risolvesse tanto rapidamente. Sempre che fosse lei.

«Fagli telefonare a lui», disse Leonìno in bergamasco puntando il sigaro fumoso sul console.

Aspettava una mia decisione. Riuscii solo ad alzare le braccia.

Si alzò dalla poltrona senza chiudere il faldone. Andò alla scrivania, pigiò il tasto dell'interfono: «Sì, sono yó. Trovi il numero telefonico di Tosca Livi o Corona Livi, calle Los Abedules doscientosdoce, gracias.»

Prese la penna sullo scrittoio e scrisse non più di tre o quattro parole su un foglio. Stava per tornare da noi quando un breve crepitio dell'interfono lo fece ritornare sui suoi passi.

«Dígame?» Stette in ascolto, appuntando un numero sullo stesso foglio. «Gracias.»

Alzò il ricevitore del telefono, compose il numero e iniziò una conversazione che durò quasi dieci minuti. Capii solo le parole «gringos italianos de Bergamo».

Fu una telefonata pacata, apparentemente ricca di spiegazioni e precisazioni. Prima di chiudere la conversazione il console lasciò nell'attesa l'interlocutore rivolgendosi a noi.

«La signora Livi è disposta ad incontrarvi anche oggi se desiderate.»

Guardai Leonìno preso a tirare boccate al sigaro più grande di lui. Non aveva neppure sentito quanto ci aveva chiesto il console. Feci un cenno affermativo col capo chiedendogli un'ora di tempo per raggiungerla.

«Está bien, dentro de una ora, una ora y medio», disse riagganciando il ricevitore.

«Si scusa però se troverete la casa in disordine, perché sono i pitori che piturano l'apartamento.»

«Hotel Continental!» dissi al tassista.

Questi si girò meravigliato, chiedendo conferma della destinazione.

«Sì, Hotel Continental!» ripetei concitato.

Avviò il motore, diede due forti accelerate e si mise in marcia; alla prima traversa girò a destra entrando in una piazza. Proseguì per cinquanta metri facendo poi una giravolta. Frenò davanti all'albergo e scoppiò a ridere.

«Hóla señores, el Hotel Continental!»

«Abbiamo preso il tassì per andare a pisciare», commentò Leonìno.

Girovagando da un posto all'altro per tutta la mattinata, c'eravamo ritrovati quasi alla partenza senza accorgerci che il consolato era vicinissimo all'albergo.

Sceso dall'auto mi accostai al finestrino dell'autista per pagarlo. Continuava a ridere.

«Quanto?» gli chiesi innervosito.

«Hombre, es gratis cuando es demasiado ridiculo.» Innestò la marcia e dando un'accelerata ci salutò a gran voce. «Adíos, gringos.»

Volevo farmi una doccia e riordinarmi per essere presentabile alla Tosca. Chiesi a Leonìno di fare altrettanto.

«Hai ragione! Dobbiamo essere come si deve.»

Uscimmo riordinati e sulla piazza prendemmo un tassì.
«In calle Los Abedules, duecentododici.»

«Perché dobbiamo stare con questo se l'altro ci paga di più?»

«Ma questo ci ha fatto venire qui.»

«E allora?»

«Mi sembra di tagliargli la faccia.»

«Ma se l'altro ci paga di più vuol dire che questo ci fa addosso la cresta. E poi il viaggio l'abbiamo dovuto pagare noi, i ferri abbiamo dovuto portarli noi, la pensione ce l'ha procurata, ma la paghiamo noi. L'altro giorno, il dottore che mi ha tolto un sacchetto di ragni dalla schiena, l'ho dovuto pagare io. Se ne sta approfittando, io me ne vado.»

«Fai presto tu, perché hai messo da parte i soldi per tornare a casa.»

«Dovevate farlo anche voi invece di sputtanarveli.»

Il Massa e il Lifaschi si guardarono.

Non era cattiveria quella del Cècco.

Dopo quattro mesi di lavoro aveva rispedito i soldi alla Rosa delle Carte e risparmiati quelli per il ritorno. Solo dopo sei mesi si era concesso di festeggiare, ma perché nessuno lavorava.

Fiesta de la Virgen de lo Milagro. Patrona di Salta.

«Non ci si salva più. Anche qui portano in giro la Madonna Pellegrina a fargli prendere aria ai gioielli. C'è poco da fare, siamo ancora in mano ai preti. Cavarados-

125

si! Gioca coi fanti ma lascia stare i Santi. Ndéadavialcül tutti.»

Non ricordava più quando era stato in balera. Donne da una parte e uomini dall'altra. Davanti all'unica bella, una fila. Ma toccava ballare anche con le racchie per darsi un contegno. E si negavano.

Mentre era con la testa altrove si sentì tirato per una manica. Nel mezzo della piazza, *en une pirouette française*, i seni sparivano e riapparivano sopra un corsetto e una gonna sollevata dalle giravolte che mostrava nella muscolatura androgina delle cosce ambrate.

«Lì, le donne non si fanno pregare, ti prendono.»

«Tu nombre?»
«Cosa?»
«Tu nombre?»
«Guido!»
«Bailame Ghido, hazme bailar! Yo soy Tosca!»

«E noi cosa facciamo? Eravamo d'accordo che si rimaneva insieme a fare squadra.»
«Se volete, con questo c'è posto anche per voi.»
«Chi è?»
«Il Livi.»
«Adesso ho capito. Ti ha montato la testa la figlia.»
Li guardò commiserandoli.
«Ci paga di più, ci dà da dormire e da mangiare. Potreste approfittare anche voi di risparmiare qualche soldo per tornare a casa.»
«Ma non stai bene qui? Si lavora, ci si diverte, poi tu ormai hai attaccato il cappello in casa sua! Cosa vuoi di più?»
«Be', fate quel che volete. Io da lunedì lavoro per lui.»
«Siamo con te.»

Calle Los Abedules era in un quartiere residenziale.

Le case, bifamiliari, avevano un piccolo giardino davanti all'ingresso, protetto da un piccolo patio a loggia che richiamava architetture agresti ben più pampere. Il libero utilizzo di intonaci variopinti non le rendeva diverse l'una dall'altra. Le vie erano battezzate con nomi fauno-floristici.

Il tassista, avendo incrociato calle De Los Encinas, capì di essere arrivato in zona e proseguì rallentando, per trovare via delle Betulle e di seguito il duecentododici.

Avevo invecchiato le fotografie di quarant'anni immaginandomi la nuova fisionomia di Tosca.

Il cuore dello zio mi salì in gola.

Il cancello del giardino era aperto, e lei ci aspettava sull'ingresso della villetta.

Era lei, senz'ombra di dubbio.

Diedi una manata sulla spalla del tassista intento a cercare il civico dall'altra parte della strada. Fermò. Scendemmo. La doccia risultò inutile; sudavo e un tremito intestinale accentuava il panico.

Varcai il cancello. Lei ci guardò e ci venne incontro tendendoci la mano. Claudicava leggermente.

Mi raccontò, poi, di aver subito un intervento chirurgico all'anca anni prima, ma che tutto si era risolto bene.

Sulla soglia di casa era rimasta una ragazza, sui vent'anni, che ci presentò come sua figlia. Ci fece quindi accomodare in un salottino essenziale, dove ci offrì un caffè scusandosi ancora per la baraonda degli imbianchini.

Avrei avuto bisogno anch'io di una rinfrescata della tinta; sia dentro che fuori. Lei, con sua figlia, succhiò da una cannuccia intinta in una pera di legno un pastrugno che chiamavano mate.

Ci chiese in quale albergo eravamo alloggiati, se ne eravamo soddisfatti, se ci piaceva la città, cosa avevamo visto, quanti giorni di vacanza avevamo ancora. Disse poi di avere tre figli; un maschio, di trent'anni, e due femmine, una di ventotto e l'altra venticinque. Quest'ultima, lì con noi, molto carina; era l'esatta copia della fotografia che avevo portato con me e che avevo ripetutamente guardato per fissarla nella mente.

Mi sorrise e mi sembrò chiedere la restituzione delle sue sembianze.

Il figlio maggiore arrivò in casa dopo qualche minuto. Tre bimbetti, i nipoti, erano venuti con lui a vedere «los gringos italianos» amici della nonna.

Dopo dieci minuti che eravamo tutti riuniti, Tosca mi chiese di poter parlare con me. Da solo.

Ci appartammo lasciando che Leonìno, come se fosse in casa sua, attaccasse con la sua avventura boliviana, in bergamasco naturalmente; aggiungendo con misurato sproposito qualche esse al finale di ogni parola.

«Amos caalcàt per un mes de filas per totas la forestas...»

«El habla el mismo idioma de Ghido», disse Tosca quando raggiungemmo la sala da pranzo.

Non riuscivo a spiccicare una parola.

I tratti decisi del volto donavano agli occhi una padronanza d'antico impero e una saggezza ereditata. Impacciato le porsi le sue fotografie e le sue lettere che il Cècco aveva conservato. Le dissi che la mia visita era stata voluta da lui prima della sua morte.

Mi sentii patetico e mi sembrò di perpetuare una speranza, alimentata tempo prima, che continuava a essere disattesa, mortificando una passione giovanile già motivo di sofferenza.

Colse l'imbarazzo e senza l'intenzione di confortarmi mi disse che la sua vita si era svolta più che decorosamente, che era molto soddisfatta dei suoi figli, dei suoi nipoti e di suo marito. Fu breve, quasi telegrafica. Mi domandò invece tutto della mia vita, del mio lavoro, di mia moglie, senza riferimenti ai motivi per cui lo zio non era più tornato da lei. Con un sorriso dolce e riconoscente mi ringraziò di averle portato la notizia della morte di «Ghido», come lei lo conosceva, soprattutto affrontando un viaggio così lungo.

Mi confidò che, tre anni dopo la partenza di Cècco, era stata a Bergamo, in viaggio di nozze; ma che non aveva voluto incontrare mio zio, anzi aveva preteso, da chi li ospitava, che non venisse neppure a sapere che era stata in città.

Trascorsero, esattamente, un'ora e ventitré minuti. Lo ricordo come fosse oggi.

Molto di quel tempo lo passammo scambiandoci solo degli sguardi che mi provocarono un affanno del respiro.

«Que pasa..., gringo?» disse amabilmente.

Scossi la testa mortificato.

Prese il plico di lettere legate con uno spago natalizio, e rigirandosele tra le mani le osservò disincantata. Aveva capito che non le avevo lette, e che gliele consegnavo come le avevo ritrovate. Sembrava dispiaciuta.

Mi fece cenno di aspettarla e si assentò per pochi minuti.

Tornò con una scatola di biscotti di metallo, la poggiò sul tavolo ricoperto da un lenzuolo bianco dicendomi, con una vena di amarezza, che conteneva le cose dello zio.

Voltai lo sguardo altrove.

I mobili della stanza erano ricoperti da lenzuola e panni bianchi che li proteggevano dagli imbianchini. Sudavo in mezzo a dei sudari. Con garbo mi disse che poteva servirmi per conoscere meglio lo zio, che lei continuava a chiamare «Ghido».

Mise fine all'incontro con un cenno del capo che invitava a tornare nel salottino con gli altri. Esitò sull'uscio un istante, voltandosi verso di me che la seguivo. Mi guardò pensierosa. Chiuse gli occhi, aprì la porta, e passammo nell'altra stanza.

Lì, Leonìno teneva banco.

I figli, ma soprattutto i nipoti, erano incantati.

Quella lingua sconosciuta, marcata dal gran gesticolare di Leonìno, rendeva l'avventura una pantomima cavalleresca. Capivano tutto e si guardavano tra loro accentuando la meraviglia e l'incontenibile simpatia che Leonìno scatenava in loro.

Guardandoli pensai che quella sarebbe potuta essere la famiglia del Cècco, lei mia zia, loro i miei cugini.

Poco dopo arrivò suo marito.

Carlito, si chiamava; un omone di un metro e novanta di lontane origini siciliane, commerciante di farine e crusche e con la passione della pesca.

Credetti che mi leggesse nella testa il motivo della visita e, nella mano che teneva la vecchia scatola di biscotti, il furto di un tesoro di casa. Lei spiegò il motivo della nostra presenza, in uno spagnolo stretto e a me del tutto incomprensibile.

Congedandoci, Tosca volle scambiare gli indirizzi e i numeri telefonici «per tenerci in contatto», e alla fine, guardandomi dritto negli occhi, senza darmi la mano, mi salutò in italiano.

«Addio, gringo!»

Il marito si dimostrò affabile e gentile e si offrì di riaccompagnarci. Il ritorno però fu silenzioso e imbarazzante.

Arrivati all'albergo, ci salutammo educatamente, e vedendolo allontanarsi sentii il bisogno di qualcosa di forte. Nel bar dell'hotel mi scolai due brandy, Leonìno due coppe di vino rosso.

Ero spompato, e anche Leonìno per la prima volta se ne stava zitto con la coppa di vino in mano. Lo vedevo come il Cècco gli ultimi giorni di vita; ebete e sperduto.

Avevo sempre con me la scatola dei biscotti.

Non riuscivo a prendere sonno.

Mi rigiravo nel letto, svolgendo ogni fotogramma della visita a Tosca. Nella testa solo la sua figura.

Avevo temuto, fino a poco prima, che le avrei scompigliato l'esistenza riportandole, improvvisi, i ricordi del Cècco; invece ero io a essere rimasto scombussolato.

Non riuscivo a scacciare le intense occhiate che c'eravamo scambiati, i silenzi più delle parole, e la mia somiglianza con lo zio non l'aveva sconvolta come avevo temuto. Leonìno aveva fatto la sua parte e sereno dormiva il sonno della prima alba.

La camera mi soffocava. Mi alzai, mi vestii e scesi nella hall.

Il portiere di notte, bocconi sul bancone della reception, rinvenne dal sonno. Erano le quattro e trenta.

Uscii nella piazza deserta, accesi una sigaretta, tirai una profonda boccata, un brivido mi percorse la schiena. Il calore della sigaretta irritò il labbro superiore. Un erpes stava per scoppiare appena sotto la pelle.

Mi toccai la fronte, era calda. Mi strinsi nelle spalle. Finii di fumare. Rientrai.

Il portiere scriveva su un registro. Gli chiesi se aveva un termometro. Andò nell'ufficio sul retro e tornò porgendomelo. Ringraziai e sedetti su una poltrona del salone infilandomelo sotto l'ascella.

Trentotto e otto.

I batteri avevano preso il posto lasciato libero dalla

tensione e il corpo, liberato dalle preoccupazioni, sfogava la sua vitalità per troppo tempo sottoposta e controllata.

Il portiere mi chiese se desideravo qualcosa di caldo.

Sul vassoio, che mi appoggiò davanti, a una camomilla aveva aggiunto una ciotolina di miele.

«La miel es benéfica y medicamentosa», disse.

Rigiravo il cucchiaino soprappensiero, quando premuroso tornò con un plaid di lana che appoggiò sul bracciolo della poltrona sorridendomi comprensivo.

L'effetto della camomilla col miele non mi pervase solo lo stomaco. Per conservare a lungo quel benefico calore dispiegai il plaid coprendomi fino al collo.

Nell'aia dell'estanciero Livi, uomini e donne erano tutti indaffarati. Gli uomini, ogni volta che si rendeva necessario, tagliavano entusiasti col machete costole intere dal bue abbrustolito appeso ad una carrucola dopo averlo esumato dalla fossa di braci. Su queste, ancora ardenti, le donne gettavano le *chinchuline* e altre frattaglie che al contatto crepitavano come una mitraglia.

La tavolata, imbandita, mostrava gli avanzi e il disordine della comunione. I più vecchi giocavano a shanghai alla poca luce, accusandosi di reciproche scorrettezze. I giovani volteggiavano nel tango, urlato dal grammofono in un angolo del loggiato.

«Non ballo molto bene.»
«Yo te enseñaré gringo.»

La Tosca lo trascinò nel mezzo del patio. Lui assunse la posa europea del tango, cattolico, empio e dannato. Lei lasciò fare per qualche giravolta, poi gli strinse la mano tirandoselo alla vita con l'altro braccio.

Qualcuno sorrise.

Palpitarono i cuori e i corpi ansimanti si inturgidirono. Cècco, intimidito, cercò di scostarla allargando i passi di danza. Sorridente, lei lo pizzicò al costato per dissuaderlo dalla pudica intenzione.

Si applicò a lui con occhi carnivori.

«Aprétame gringo, aprétame! Soy tuya, aprétame!»

La pendola ottocentesca batteva le sei.

La penombra del salone, le spie rosse e verdi della macchina del caffè e il sottofondo di discreti rumori portarono un altro giorno. Avevo dormito poco più di un'ora. Sentivo l'impellenza di urinare.

Ripiegai la coperta abbandonandola sulla poltrona e mi recai nei bagni del salone. Decisi di risalire in camera, non prima di ringraziare il portiere delle premure che aveva avuto per la mia indisposizione. Trafficava col centralino componendo numeri e sembrava irritato per qualcosa che non riusciva a far funzionare.

Mi avviai mandandogli un cenno di saluto.

Interruppe bruscamente quanto stava facendo per raggiungermi. Gli feci intendere che non avevo bisogno di altro, lo ringraziavo, risalivo in camera, e che non era necessario si distraesse dal suo lavoro.

«Perdóneme señor», disse richiamandomi. «No entiendo la pregunta de su amigo.»

«Que pasa?»

«El su amigo», disse con occhi allampanati impegnandosi a parlare italiano, «el suo amigo me ha repreguntado de telefonare a la Italia, péro el numero telefonico no es correcto.»

«Che amico? Mi compañero está dormiendo en la habitación.»

«No, nooo, señor, está aquiii. Muy nervioso. Dice que no alcanza la linea telefónica.»

«Aqui? Donde?»

«Allá, en el camarote, el locutorio telefónico.»

Mi indicò la cabina telefonica dalla quale Leonìno ci guardava di sottecchi. Uscì dirigendosi verso di noi come un bimbo sorpreso con le mani nella marmellata.

«Cosa fai qui?» chiesi meravigliato.

«Sono sceso a telefonare.»

«Alle sei del mattino?»

«Be'... in Italia sono le dieci, e io devo telefonare alle dieci. Gli ho dato il numero da chiamare, ma questo imbranato non riesce a prendere la linea.»

Non volevo essere invadente e tanto meno indiscreto.

«Che numero gli hai dato?» domandai senza approfondire l'urgenza di chiamare in Italia dov'erano le dieci del mattino.

«Gli ho dato il numero da chiamare, ma non riesce a farlo. Tu l'altra sera hai subito preso la linea senza problemi; e tra l'altro con la tessera. Si vede che il loro centralino non funziona bene.»

«Se mi mostri il numero vedo se è completo.»

«Come completo?»

«Leonì, per chiamare l'Italia bisogna comporre una serie di prefissi, magari lui non lo sa; se mi mostri il numero che gli hai dato posso capire se manca qualcosa», dissi innervosito.

Estrasse dalla tasca del giubbotto un biglietto piegato in quattro su cui c'era un numero di sei cifre. Ricordai che quello di casa sua era scritto su un'agendina.

Chiesi al portiere come aveva composto il numero scoprendo che aveva tralasciato il prefisso italiano del distretto telefonico, peraltro non scritto, rendendo inutili quelli internazionali di teleselezione.

138

«Manca il prefisso di Bergamo; se questo numero è di Bergamo.»

«Ma io non lo faccio mai il prefisso quando lo chiamo.»

Il portiere cercava di capire cosa succedeva, parlando noi bergamasco non gli era facile, intuiva però che la causa del contrattempo non era stata una sua negligenza.

Sul bancone della reception c'era una penna, la presi e scrissi davanti al numero il prefisso mancante. Diedi al portiere il biglietto affinché riprovasse a chiamare con la nuova numerazione. Questi ringraziò soddisfatto.

«Cosa fai?» chiese allarmato Leonìno

«Gli ho dato il numero completo da chiamare.»

«Aspetta, aspetta, lui deve solo passarmi la linea, *io* devo parlare.»

«Un momento por favor», dissi al portiere che, diretto al centralino, si fermò aspettando disposizioni.

Leonìno mi fissò indeciso. Gli occhi mi parevano lucidi oppure ancora assonnati. Sembrava volesse dirmi qualcosa senza però voler parlare.

«È che, sono già le sei e un quarto.»

«Non capisco se è tardi o presto», dissi pungente.

«No, è che adesso potrebbe rispondere qualcun altro.»

«Cos'è? Un numero telefonico collettivo?» chiesi sarcastico.

«Vedi, se io chiamo alle sei in punto, che là sono le dieci in punto, risponde lei, perché sa che io chiamo puntuale a quell'ora. Se sente invece suonare il telefono in un altro orario lascia rispondere alla padrona di casa, allora io continuo a ripetere mùcio-mùcio come se avessi sbagliato numero.»

Lo guardai inebetito.

Lui piegò la testolina a quarantacinque gradi alzando

le mani in tono di supplica e sottolineando al contempo, con l'espressione del viso, la banalità dell'impresa.

«Entra in cabina, fatti passare la linea dal portiere, fai il numero di telefono, e quando rispondono dici "mùcio".»

Mi feci ridare il biglietto dal portiere chiedendogli di passarmi solo la linea.

Guardavo esitante Leonìno per avere una spiegazione. Mi spinse con decisione verso la cabina telefonica, staccò la cornetta e me la mise in mano.

«Coraggio, fa' il numero e ricordati, mùcio-mùcio.»

«Una volta o due?»

«È uguale, l'importante è che tu dica 'mùcio'.»

Con il cervello completamente evaporato composi meccanicamente il numero aspettando, al segnale di libero, che qualcuno rispondesse. All'altro capo una voce femminile:

«Pronto?»

«Mùcio.»

«Ciao Leone.»

Leonìno, che si era affiancato con l'orecchio al ricevitore, me lo prese svelto di mano spingendomi fuori dalla cabina e richiudendo la porta.

Ringraziai il portiere, mortificato per l'accaduto.

Salii in camera con l'intenzione di dormire ancora un poco. Il malessere della notte stava riaffiorando.

Durante la prima colazione gli dissi che non ero stato bene e che, usciti dall'albergo, volevo trovare una farmacia dove procurarmi dell'aspirina o roba simile.

«Eh sì, hai due occhi tutti rossi.»

«Ho dormito male questa notte.»

Tornato in camera alle sei e un quarto, mi ero messo a letto per riprendere sonno. L'avevo sentito tornare e avevo finto di dormire. Lo sentii fare la doccia, rivestirsi e uscire nuovamente. Non volli pensare a dove sarebbe potuto andare alle sette del mattino. Alle nove, quando scesi, passeggiava davanti all'albergo fumando una sigaretta.

«Non ti ammalerai adesso che abbiamo finito il lavoro?»

«Eh no! Spero proprio di no.»

«Che donna la Tosca! Che temperamento. Ci credo che gli è saltata in aria la testa al Cècco. Comunque devi fare qualcosa se stai male.»

Se non fossi stato certo di essermi appisolato da solo nella hall, avrei giurato di aver confessato il patatrac, parlando nel sonno. Parlava della Tosca, ma della sua telefonata mattutina, neanche una parola.

Trovai la farmacia che il portiere mi aveva indicato. Ingurgitai subito due aspirine e una sorsata di sciroppo

141

per la tosse. Anche se non avevo ancora tossito, sentivo la gola secca e irritata.

«Allora? Cosa facciamo oggi?»

Nessuno tra i piedi in quel momento sarebbe stata troppa grazia. Lui, «il Gringhíto», scalpitava per dare seguito al programma che gli avevo illustrato ancora prima della partenza da casa. Decisi di organizzare il viaggio con il treno delle nuvole.

Ebbi solo un'incertezza quando seppi che l'escursione durava in tutto venti ore, ma con Leonìno al fianco che mi diede una pacca sulla spalla complimentandosi per la decisione, intascai i biglietti. L'impiegata notò la mia esitazione e distribuì delle occhiate tra me e lui, più volte, prima di consegnarceli.

Era giovane, graziosa, il viso intagliato in una corteccia d'elcio e gli occhi, quelli della Tosca. Chiari e profondi. Chissà se a chiederglielo ci avrebbe accompagnato?

Il treno, ci disse, partiva dalla stazione di Salta e sarebbe arrivato sulle cime andine a quota quattromilacinquecento.

Per come mi sentivo, quella gita diventava un'impresa piena d'incognite. Leonìno mi fece l'occhiolino per rassicurarmi che non dovevo preoccuparmi per lui.

«Es una ilusión única en el mundo!» aggiunse sensuale la ragazza.

Ma perché; perché così di fretta.

Ero solito prendere tempo, pensare, ponderare, organizzare dettagliatamente. Sapevo di svolgere tutto senza immaginazione, aspettandomi solo che le cose non tradissero troppo le aspettative; e già essere uscito dall'albergo con la febbre, e col buon senso che consigliava di rimanere a letto, era stato un impulso che mi sorprese quando mi ritrovai con i rimedi in mano.

Fu lì che lasciare solo Leonìno mi sembrò di abbandonarlo a sé stesso. Le promesse fatte a Luisa di tutelarlo avevano avuto il sopravvento. Era felice, contento, addirittura allegro. Chissà!

Preoccupato di apparire agli occhi della ragazza un indeciso, prenotai anche la gita nella regione dei vini per due giorni dopo. Altra pacca sulla spalla di Leonìno felicissimo. In più, raccolsi tutto il materiale che c'era per visitare Salta come avrebbe fatto il curato di un oratorio.

Doveva essermi risalita la febbre.

In un espositore sul bancone c'erano dei pieghevoli con il viso aperto del Che nel vento rivoluzionario. Mi sembrava un bel santino per onorare lo zio. Ne presi due; uno lo diedi a Leonìno, che da presbite lo tenne distante per vedere di che si trattava.

Visitammo nella giornata tre chiese e un museo canonico ritrovandoci liberi per la cena.

A mezza mattina mi sentii meglio, solo il labbro era ancora gonfio, e a pranzo, per precauzione, avevo preso una camomilla con molto zucchero e bevuto molta acqua.

Lui si era abbuffato con una serie di quattro *empanadas* farcite di verdure, uova sode, olive, manzo, pollo, prosciutto, formaggio e salsa piccante; e annaffiato il tutto con tre bicchieri di Rioja, commentava le bellezze visitate pregustandosi la cena serale nel ristorante tipicamente argentino che gli avevo promesso.

«Coraggio», mi esortava, «che stasera ci facciamo una bella mangiatina.»

Rientrammo prima in albergo. La doccia calda e mezz'ora di rilassamento sul letto mi scatenarono una nausea insopportabile e il mio ultimo pensiero era quello di gustare una cena tipicamente argentina.

«Scusami Leonìno, ma non me la sento di cenare.»

«Ostia, saltiamo?» disse disperato.

Ingurgitai due aspirine e il coraggio a quattro mani.

«Andiamo, andiamo. Non ho fame, ti faccio solo compagnia. Ma voglio andare a letto presto. Domani dobbiamo essere in stazione alle cinque per la partenza del treno.»

Portarono un braciere, quarantapersettanta, abbandonandolo a un lato del tavolo. *Bife de chorizo, de lomo, la chuleta, asado de tira, el vacìo e un matambre relleno.*

Pensai avessero frainteso la mia ordinazione. Avevo ribadito, due volte, «solo per uno». Ribadirono che era la portata per «uno solo».

Un cameriere appoggiò, subito dopo, un altro braciere, trentacinquepercinquanta, a un altro lato del tavolo. La *'parillada argentina'*. *Chinchulines, tripa gorda, ubre, riñones e morcilla.* Di poco scostato *el chimichurri.* Tutto guarnito con patate arrosto e insalata. Abbondanza per almeno quattro predoni quechua di corporatura straordinaria.

Leonìno cominciò contemporaneamente a mangiare, parlare e a bere. Terminata la seconda bottiglia di vino e ingoiato l'ultimo pezzo di carne mi aspettai che schiantasse al suolo. Era invece rigenerato.

Ritornammo all'albergo. Non ne vedevo l'ora.

«Beviamo qualcosa al bar prima di andare a dormire.»

«Leonìno, io vado a letto. Non ne posso più! Se vuoi bere qualcosa sei libero di farlo. Hai i soldi?»

«Tranquillo! Ho i cento pesos dell'altro giorno.»

«Bene, fa' quello che vuoi. Ti auguro una buona notte. Io vado a dormire.»

«Esco a fare un giretto in piazza, magari bevo una cosina al bar.»

Di nuovo lo scrupolo di abbandonarlo. Ma non durò molto. La fiacca e i dolori in tutte le ossa, cancellarono ogni senso di colpa e ogni preoccupazione per quel satanasso.

Devo avergli detto:

«Gringhíto! Salta è tua. Buona notte.»

Sembrò il barrito di un elefante, ma più afono, quasi spento; una sorda bastonata nell'aurora.

Del coro di sirene sull'equatore aveva il timbro della voce che segnalava la presenza di navi nella nebbia; basso, un po' lugubre.

Due scossoni stirarono le articolazioni del convoglio prima che la motrice marcasse un passo regolare. Era presto, e i sogni si mischiavano ancora con la sveglia.

Lasciato l'albergo, ci affrettammo alla stazione con il timore che qualche imprevisto ci facesse perdere il treno. Non avevo trovato un momento per chiedergli come era andata la serata. Non mi ero accorto del suo rientro. Salito in camera, ricordavo di aver aggiunto un'altra coperta al letto e, appena avvertito il tepore della cuccia, dovevo essermi addormentato.

Svegliati dal portiere che ci avvertiva dell'ora per la gita, mi sentivo decisamente meglio di quando mi ero coricato la sera; e in stazione ci aveva accolti e accompagnati ai nostri posti in carrozza una gentilissima inserviente.

Appena il treno ebbe superato l'ultimo sobborgo di Salta, Leonìno cominciò a parlare come i giorni precedenti.

Si pronunciava appena l'alba, e forse per quello, o per

le scialbe luci del vagone, mi sembrava più mesto del solito.

«Ehh... la vita è una menata complicata!»

Parlava al presente, in modo diretto, personale; più sentenze che commenti, e spesso si abbandonava sedato dall'ultima frase detta, a guardare il paesaggio disegnato dal treno.

Mi vergognavo un po' di essere contento che fosse meno spavaldo.

«...voglio bene alle mie figlie... tanto! Ma non riesco a dirglielo... Luisa? Parla sempre lei... e fuma! ...fossi come il Cècco... che gli piaceva giocare a carte...» e un paesaggio appena illuminato scorreva di fuori.

«Dobbiamo fare colazione. È compresa nel prezzo, ma bisogna andare nel vagone ristorante», dissi per togliermi dal disagio.

La luce aveva iniziato a rischiarare e dal vagone ristorante, attraverso gli ampi finestrini, si vedeva il paesaggio sempre più aspro.

Il treno attaccava la montagna tra gole naturali e altre operate chirurgicamente, aprendosi la via per pianori aridi e desolati, che mostravano, nel loro mezzo, fiumiciattoli favorevoli a una vegetazione che sembrava reclamare alternative meno dure.

Mi limitai a bere del caffè con due piccole focacce che spalmai di marmellata. Leonìno si buttò sulla colazione gaucha; niente di più turistico: pancetta, salamino, carne di capra essiccata, tre tortillas che ricordavano le nostre piadine romagnole, e una caraffa di vino rosso che finalmente ebbe il coraggio di ordinare da solo. Infine bevve una tazza di caffè caldo, come diceva di essere abituato a fare.

Mi sembrò che avesse ritrovato il suo temperamento. Ne ero felice.

Con l'ultimo goccio di caffè inghiottii un'aspirina non fidandomi del miglioramento. Tornammo nello scompartimento.

Il suo viso appariva congestionato dall'abbondante colazione o da uno scarso riposo.

«Ho sete! Me puerta una servèsa por favor?» chiese all'hostess che stava passando per servire altri viaggiatori.

«Ma non fatichi a digerire la birra?»

«Sì, di solito sì. Ma stamattina ho sete e magari la digerisco.»

La risposta non ammetteva commenti.

Tornò l'hostess con la caraffa di birra, posando, con essa, un piattino con la ricevuta della consumazione.

«Non è nel prezzo qui il bere?» mi domandò sorpreso.

«No, le consumazioni si pagano a parte, solo la colazione e il pranzo sono compresi nel prezzo del biglietto. Ma li hai i soldi.»

«I cento pesos?»

«Sì, quelli che ti ho dato l'altro giorno.»

«Li ho usati ieri sera», disse portandosi la caraffa alla bocca.

L'hostess aspettava sorridente il pagamento del conto. Pagai la birra.

«Cosa vuol dire "li ho usati ieri sera?" Cento pesos sono più di duecentomila lire.»

Bevve in un fiato metà della birra. Con la lingua recuperò il velo di schiuma rimastogli sul labbro superiore. Mi fissò imperturbato, come dovessi capire qualcosa di evidente. Portò nuovamente alla bocca la caraffa finendo l'altra metà. La schiuma bianca alle pareti, una volta appoggiata la caraffa sul tavolino, scivolò pian piano fino al fondo.

«Te li hanno rubati?» domandai preoccupato.

«Ho trovato da fare "primavera".»

«Cento pesos una "primavera"? Duecentomila lire?»

«Non avevo moneta, era in un pezzo solo e quando gliel'ho fatto vedere mi ha fatto capire che andava bene.» Mi guardò aspettandosi un rimprovero, ma a quel punto ero solo curioso.

«Scusami... ma a che ora sei tornato, che non ti ho sentito rientrare?»

«Le due e mezza, forse le tre.»

«Non hai dormito molto!» mi venne da dirgli.

«Già, infatti sono un po' stanchino.»

Mi sembrò fuori luogo entrare nei particolari e non glieli chiesi. Non sapevo che altro dirgli, ma continuava a guardarmi come se si aspettasse delle ritorsioni.

«Lo so! Cento pesos sono cento pesos... ma una primavera è una primavera.»

«Certo, certo. Io faccio un giro per il treno.» E mi alzai dal posto.

Altro che congestionato dalla colazione gaucha.

«Vedi di schiacciare un pisolino, hai la faccia stanca», aggiunsi dandogli una leggera pacca sulla spalla.

Il treno aggrediva la cordigliera a passo di trotto.

Nell'immenso paesaggio che penetravamo come piccole larve, più che viaggiare per qualche destinazione sembrava di intrufolarci, e le sommità, di volta in volta superate, aprivano squarci di clivi violetti che nell'orizzonte svanivano, lasciando intuire una continuità infinita.

Ogni gruppo montuoso aveva una personalità geologica e noi turisti, avvertiti dall'interfono, ne riconoscevamo il carattere dai colori delle viscere, che la montagna, scorticata dalle mutazioni millenarie, mostrava.

La strada ferrata era stata concepita per il trasporto dei materiali minerari, emancipando involontariamente le popolazioni queco-andine sconfinanti tra Cile, Bolivia, Paraguay e Argentina; e il treno era stato ripristinato da pochi anni a scopi turistici. La trazione della macchina era ormai alimentata a nafta, e non lasciava la scia di fumo che le locomotive originali mostravano nelle vecchie foto sui pieghevoli illustrativi.

Francobolli commemorativi dell'impresa tecnologica del XX secolo, iniziata nel ventuno e conclusa nel quarantotto, ricordavano l'inaugurazione con il primo viaggio ufficiale della locomotiva.

Tutto era molto bello, nostalgico; dopo due ore di migrazione emotiva, ci si poteva ritrovare nel colmo di altri tempi, con la sensazione di essere pionieri stupratori di luoghi dimenticati vergini da Dio.

Una delle carrozze era ricostruita come un ufficio postale, dove si potevano scrivere cartoline o lettere su carta intestata del «Tren a las nubes».

Mi sembrò una bella idea.

L'atmosfera mi produsse un abbandono sentimentale. Scrissi a mia moglie parole di cui non ricordavo l'esistenza. Dovevo averle lette sul sussidiario di quinta.

Quando la lettera passò nelle mani dell'attore in costume, realizzai che la stavo spedendo sì a mia moglie, ma che la destinataria era la Tosca.

«Ormai è fatta. Speriamo che non se ne accorga», mi dissi.

Il treno rallentò.

Avevamo raggiunto la quota di duemilatrecento metri ed era prevista una sosta per visitare il museo del treno e delle miniere.

Avvertii la difficoltà di tirare un fiato profondo. La hostess mi indicò con un sorriso la più vicina bombola di ossigeno collocata alla parete del vagone. Le feci cenno che riuscivo a resistere.

Leonìno teneva banco con i viaggiatori a lui vicini, ai quali parlava in bergamasco. Lo ascoltavano divertiti senza capire un'acca di quanto diceva.

«Lui ès il mio amigos, che stoi a chi con luis», disse loro presentandomi. Mi sorrisero complimentandosi.

«Hai dormito un po'?»

«Ho cominciato a chiacchierare... e allora...»

Davanti a sé aveva una coppa di vino rosso, vuota per metà, appoggiata su due scontrini con macchie circolari color indaco. Era chiaro che non aveva ancora pagato e io, stupido, non gli avevo lasciato altro denaro. Lo avevo assolto per la «primavera» e involontariamente punito.

Non volevo, però dargli dei soldi davanti agli altri come si dà la mancia a un adolescente.

Richiamai l'attenzione dell'inserviente. Ordinai una

birra per giustificare, quando me la portò, il pagamento delle altre consumazioni.

Leonìno aveva due occhietti lucidi, ma non volli pensare che fosse già brillo. Era esagitato, ma non capivo se per l'entusiasmo del viaggio o per l'effetto del vino.

«Gli stavo dicendo che io qui avevo un amico che lavorava in Argentina, e che siamo venuti a vedere i posti dove ha lavorato; adesso che è morto.»

Lo avevano ascoltato con particolare ammirazione e dovevano aver capito che eravamo in visita alle proprietà del Cècco, credendoci degli eredi che visionavano i possedimenti minerari lasciati dal defunto.

Aveva parlato come gli era congeniale, in bergamasco, e loro avevano inteso quello che volevano capire. Lo guardai con tenerezza facendogli notare che il treno stava fermandosi.

L'escursione prevedeva tre soste, eravamo alla prima. Campo Quijano 2358 s.l.m.; «El portal de los Andes».

L'agglomerato, di poche abitazioni, era il vecchio insediamento del campo base, tecnico e operativo, della compagnia realizzatrice dell'opera ferroviaria.

L'abitazione dell'Ingeniero Richard Maury che, «...con imaginación creativa y audacia intelectual...» concepì la possente opera, era stata trasformata in museo, ricco di ossidate testimonianze fotografiche dell'impresa, portata a termine in ventisette anni di susseguenti interruzioni, avanzamenti, e disgrazie.

Mi appartai dal resto del gruppo in visita, tirando a me Leonìno per dargli cinquanta pesos.

«Così se vuoi comprare qualche ricordo o vuoi bere qualcosa quando non ci sono, hai due soldi.»

«Grazie, grazie.»

«Non devi ringraziare, sono soldi tuoi.»

Un'ora dopo il treno ripartiva inerpicandosi sul costone di una montagna brulla alla cui sommità, in una giravolta di «intrépida ingenierìa», il treno si attorcigliava su sé stesso attraversando una gola artificiale per poi superarla su un ponte d'acciaio e sbucando su un vasto altopiano roccioso. Le creste incatenate che lo contenevano in un catino ellittico, apparivano lontane, irraggiungibili; appena sbozzate.

Quanta chimica inorganica c'era intorno!

Da lì iniziava «El Calvario» dell'Ingeniero Maury, recitava il materiale turistico.

Su quella pietraia che, secondo i geologi, era un preistorico mare salato evaporato in milioni di anni, rimanevano le impronte di dinosauri a testimonianza del trapassato remoto di quella regione.

«Il Cècco sì che era un uomo, non io! Hai visto che donna aveva qui?»

«Però l'ha abbandonata», dissi a bruciapelo.

«Deve esserci stato qualcosa. Il Cècco non faceva una cosa senza ragionarci sopra.»

«Magari è proprio perché ci ha ragionato troppo.»

«Cioè?»

«Che certe cose si devono fare, senza troppo pensare.»

«No, no! È successo qualcosa!»

Arrivammo alla quota di tremilacento metri. Non capivo se era la presenza delle bombole d'ossigeno appese nella carrozza tra ogni finestrino o se l'aspirina aveva finito il suo effetto, ma accusavo un torpore alla testa e la sensazione di non riuscire a respirare.

«Perché con te riesco a parlare, e con le mie figlie no?»

«Ma ci hai provato?»

«Be'..., sì.»

«Sei sicuro?»

«Non sono più sicuro di niente», disse voltando lo sguardo sull'altopiano.

Mi disse di sua madre che si era risposata, rimasta vedova, e aveva ancora avuto due figli dal secondo matrimonio.

«Erano tempi duri per una vedova. Ma anche adesso sono sempre duri i tempi per una donna.»

Mi sembrava di sentir parlare lo zio: mezze frasi, occhiate, silenzi; depositario di verità che nessuno avrebbe potuto capire se prima non avesse provato l'esperienza diretta. La sua esperienza. Unica, irripetibile, prudentemente nascosta.

Non c'era niente da capire, era così e basta.

Chissà se in quella convinzione c'era un che di vero?

Scatenare una guerra per far provare a tutti la sua miseria e disperazione? Lutti, fame, coercizioni, come quelle appena accennate dallo zio, quando, renitente, lo avevano spedito in Germania per l'addestramento bellico, alternativa alla deportazione in un qualche campo di concentramento?

Esperienze che gli maceravano il rammarico di anni buttati via per delle cazzate; come il disonore con infamia del degrado da caporale di baracca davanti al resto del gruppo, perché sorpreso a pisciare in cortile dove si era fermato per non fare la strada fino alla latrina, risparmiandosi così due minuti di gelo menoventi.

Cose da ridere per noi; come l'altra pisciata, congelata nel cappotto di quello che gli stava davanti nella fila del rancio; per non perdere il posto aveva sfogato l'impellenza urinandogli nella tasca del pastrano senza che questi si accorgesse. Prima che giungessero davanti al pentolone della sbobba, dove di «giunta» non ce n'era più per nessuno, la pisciata, con la stoffa del pastrano, si era trasformata in stalattite.

Vicende di cui solo di riporto ero venuto a conoscenza.

Come l'origine del suo soprannome, storpiato in più modi. Tutti pensavano a «Franceso», da cui «Cècco», «Cechì», «Cecchino», o «maledetto Cecchino», quando teneva l'ultima mano di carte razziando il banco.

Solo pochi intimi e i coetanei sapevano invece della storia di scorribande con biglie di vetro e di terracotta, che l'imbattibilità nel gioco gli fece contare in una raccolta di dodicimila. Da cui «Cichì».

«Ho smesso perché non sapevo più dove metterle. Ho tenuto solo le più belle.»

O la precoce prigionia del dodicenne «Cechì», catturato durante un assalto dalla banda di coetanei di estrazione borghese della borgata confinante.

Lui e Balencia, sorpresi isolati, e catturati. Li chiusero a chiave nella cantina della casa di uno dei vincitori. Parve loro un miracolo vedere, appesi al soffitto, salami e prosciutti, fiaschi e bottiglie di vino, stracchini e tome nelle moscarole. Presero a bere e mangiare strappando a morsi pezzi di salame e formaggio, scolandosi due fiaschi.

Alla sera i carcerieri, che erano andati per giustiziarli, dovettero portarli a casa di peso, ubriachi e sporchi di vomito, perché si erano sentiti male da tanta abbondanza.

Le prime lotte sociali? Emulazione de *I ragazzi della via Pal* visto al cinema dell'oratorio? Senza morti però, solo cazzotti e qualche adolescenziale brutalità.

E la sua espulsione dall'oratorio per indegnità?

Promise di spaccare la testa a quello che aveva fatto la spia.

Il contratto era con la Dorina quindicenne. Alle Cen-

156

to Piante, nella tenda degli indiani, quaranta centesimi per cinque amici. Ne voleva cinquanta, ma accettò quanto avevano perché uno promise di guardare soltanto. Volle i soldi subito, come una professionista. Uno alla volta.

Quando i cinque ragazzi furono davanti alla tenda sorvegliata dal Massa, e la Dorina entrò mettendosi subito spogliata e distesa, rimasero paralizzati. Scapparono via incoraggiandosi, insultati da lei, che si rimproverava sbraitando di aver accettato quaranta centesimi per fare un piacere a dei menabìgoli.

Guardavo Leonìno, vedevo mio zio. Pasticci poetici.

Trasalivo alla sua sensibilità per la durezza di vita delle donne. Lui femminista, Luisa, le figlie con cui non comunicava, *mùcio-mùcio*; e cos'altro?

E la scatola di biscotti, cosa avrebbe svelato più di quanto intuivo?

Per una stretta gola il treno proseguì a passo d'uomo sbucando su un altro altopiano candido di solitudine, meno vasto del primo.

Santa Rosa del Castil; tremiladuecento metri. La seconda sosta. Scendemmo.

La descrizione turistica recitava essere il più antico monumento paleolitico di Argentina, testimonianza di popolazioni precolombiane autoctones che lasciavano intuire un'organizzazione sociale-religiosa evoluta.

Una volta messi i piedi per terra sentii le gambe tremare e la testa vuota.

Ritornai nel vagone per prendere la giacca a vento. Indossai prima un maglione e con la giacca ben chiusa guadagnai nuovamente la banchina della stazione.

Gli autoctoni ci assalirono.

Donne dai capelli ispidi, volti di cartapecora, filigranati da rughe profonde che si perdevano nelle cartilagini del viso o direttamente sulle ossa del cranio per meglio aggrapparsi.

Dietro di loro si sentiva il suono lugubre e monotono di un corno che riceveva fiato da un uomo piumato riemerso dai «petrogrifos». Soffiava in una canna di bambù che tratteneva alla bocca come un flauto traverso. Sul capo portava una corona di piume, di una specie di struzzo-gallina andino. Il viso dipinto era una maschera dalla quale sporgevano gli occhi neri. Era coperto sulle spalle da un mantello variopinto degli stessi colori del paesaggio circostante.

Dietro di lui, tre alla sua destra e tre a sinistra, sei uomini in processione altrettanto acconciati, che saltellavano sulle gambe, battendo su tamburi dal suono afono e opaco.

L'ultimo personaggio chiudeva la processione roteando una sorta di turibolo dal quale usciva un fumo bianco e azzurrognolo; le donne gli aprirono un varco per cui passò.

Si diresse verso un mucchio di sassi, cartacce colorate, bottiglie vuote, pezzi di stoffa, avanzi di ossa, accatastati come rifiuti, che risultò essere un altare, e vi girò intorno saltellando e incensando come un gesuita quelle pietre, su cui qualcuno gettava piccoli pannicelli che altri spruzzavano, versando da alcune bottiglie un liquido incolore a cui veniva dato fuoco.

Il sacerdote dava brevi sorsate alla bottiglia spruzzando la bevanda dalla bocca sull'altare, vivificando così fiammelle violacee che subito morivano lasciando fumosi gli stracci.

Tutti si avvicendavano al mucchio di pietre e aspergevano, in una semina rituale, foglie verdi dal breve picciolo, che a volte mettevano in bocca dopo aver sputato sull'altare quelle già masticate e ridotte a poltiglia. Restituivano, così, il nutrimento che avevano preso alla grande nutrice, la «Pácia Máma».

Se ne andarono come erano venuti, tornando alle loro case in un avvallamento poco distante che non aveva nulla di pittoresco. Erano vecchie baracche di minatori. Le attività minerarie si erano ridotte, in parte per l'esaurimento delle miniere, in parte per il superato utilizzo dei materiali estratti.

La cerimonia, cui avevamo assistito, veniva rievocata a fini turistici, come dettagliatamente citava il pieghevole,

159

a dimostrazione dell'attaccamento che possedevano le popolazioni indigene alla Madre Terra.

In sostanza era una mascherata; ma non mancò di impressionarci.

«Hai visto?»

«Già!»

«Cosa vuol dire?»

«È una antica cerimonia di ringraziamento alla fertilità della terra; restituiscono in parte quello che hanno preso da lei per vivere.»

«Ostia! E cosa hanno preso che non c'è niente!»

Lo osservai stupito. In effetti, guardandomi intorno, non riuscivo nemmeno io a vedere qualcosa di fecondo.

«Forse non siamo abituati a vedere come loro.»

«Certo, certo. È così per forza.»

Riprese l'assalto delle donne che portavano tappetini, maglioni, cappelli, mantelle, pagnotte, focacce imbrunite dalla cottura, foglie di coca, che mimavano di mettersi in bocca e masticare.

Richiamavano l'attenzione tirandoci per i vestiti. Le donne più anziane spingevano quelle più giovani a proporre quanto avevano da vendere, e queste, intimidite, alzavano le cose fin sotto il nostro naso.

L'aria era limpida e pungente. Sentii le gambe più stabili e mi sembrò di riuscire a camminare con sicurezza. Ne approfittai per raggiungere la carrozza e salirvi. Seduto, stetti al finestrino a osservare quel bazar davanti alla stazione che era poco più di una baracca.

Due fischi del locomotore, più pimpanti del barrito lugubre della partenza, avvertirono della scadenza del tempo utile per la sosta. Un altro fischio, più prolungato, anticipò il movimento del treno che riprese la corsa.

«Cosa stai mangiando?» chiesi a Leonìno che stava masticando.

«Foglie di coca.»

«Come foglie di coca!?» strabuzzai gli occhi.

«Coca, coca. Me l'ha regalata una ragazza. Fa bene, ma non va mangiata, va solo masticata. La masticano tutti da queste parti.»

«Come la masticano tutti?»

Guardai i viaggiatori vicini divertiti dal battibecco. Nessuno masticava niente.

«Fa bene. La masticavo anche quando ero in Colombia. Montavamo a cavallo e masticando la foglia entravamo nella foresta.»

Mi vennero in mente le miserande raccomandazioni di sua moglie. Ma cosa potevo fare? Fargli sputare la cicca dandogli una pacca sulla testa?

«È come masticare il bagolo di tabacco dei nostri vecchi.»

Il treno aveva azionato la cremagliera come aveva fatto in altri tratti del percorso per superare le asperità della montagna. Marciava forse a dieci all'ora e quella lentezza incuteva l'apprensione che non ce l'avrebbe fatta ad avanzare, rovinando all'indietro schiantandosi.

Mi prese più violenta la sensazione di mancamento.

Tutti erano tesi e preoccupati. Gli unici tranquilli: le inservienti e Leonìno.

161

«Non si attacca neanche alla dentiera come la cicca americana. Prendine due anche tu», disse allungandomi un sacchettino di cellophane con dentro una manciata di foglie.

«No grazie. Ho un leggero mal di testa.»

«Appunto! Con queste ti passa.»

Guardavo invece le bombole di ossigeno appese nello scompartimento.

Una giovane ragazza dai capelli biondi e dal pallore indoeuropeo si era portata la mascherina su naso e bocca aiutata dalla hostess, che le passò il nastro elastico dietro la nuca per trattenerla. Avvertivo una sensazione di sonnolenza.

Guardai in silenzio per un lungo momento Leonìno che protendeva ancora la mano con il sacchetto di foglie. Scossi il capo negativamente. Lo intascò nel giubbino che non si era ancora tolto.

Superata l'asperità con la cremagliera, il treno viaggiò lentamente su un ampio pianoro, prima di affrontare il viadotto Muñol, sospeso in aria a quarantasei metri di altezza per una lunghezza di centosettantasette. Lo percorse a passo d'uomo.

I più ammutolirono, pensando che ci fosse del pericolo; gli altri erano già zitti e tesi, e la guida invitava ad osservare il paesaggio spettacolare.

In un silenzio che mimetizzava il terrore, superammo «l'ardito ponte» per raggiungere e sostare a San Antonio de los Cobres.

Leonìno masticava foglie di coca. Mi sembrava stralunato. Mi chiedevo cosa avesse trovato di tanto romantico mio zio in questi luoghi. Le volte che me ne aveva parlato non era solo entusiasta del ricordo; era esaltato. Forse perché era con la Tosca?

Il treno si era fermato per la visita a una serie di baracche dove vivevano contadini che, sfruttando dei ruscelli spontanei emergenti dalle viscere della terra, riuscivano a coltivare cereali e gramigna per la propria sussistenza e quella di pecore e capre.

Li osservavamo intenti ai lavori, ma furono incuranti della nostra presenza.

Al centro di un piccolo orto, al margine di una baracca, un vecchio officiava una cerimonia simile a quella vista alla precedente fermata. Infuocava un mucchio di pietre simile all'altro, che esalava le stesse fiammelle violacee, sulle quali spargeva piume di gallina.

La guida disse che stavano preparando l'uccisione di una capra e spiegò che erano soliti ringraziare e ingraziarsi a quel modo la «Pácia Máma», genitrice delle loro stesse vite, ogni volta che sopprimevano un animale di allevamento.

Candele, ricavate dal grasso animale, bruciavano davanti al cumulo di sassi emanando nell'aria un odore acre di pancetta abbrustolita.

I contadini erano perlopiù sordomuti, spiegò la guida. Comunicavano tra loro a gesti e con suoni inarticolati. Disse anche che quella menomazione era il risultato di unioni secolari tra consanguinei.

Avevano tutti gli occhi chiari, ma mentre quelli degli uomini, quando ci guardavano, rimanevano attoniti e spenti, quelli delle donne e dei bambini erano sorridenti.

«Hai visto?» mi disse Leonìno. «Hanno gli stessi occhi della Tosca. Il colore, intendo.»

Aveva osservato bene. Ma non solo il colore, che riproduceva il cielo bianco di quelle quote, anche il taglio delle palpebre ricordava quello di Tosca.

Leonìno si avvicinò alla baracca. Su dei bastoni erano appesi, come un bucato, maglie, ponci, maglioni manufatti, decorati con semplici e arcaici motivi andini. Su un asse c'era scritto: EN VENTA.

Prese una maglia e la mostrò a una donna intenta a filare col fuso. Lei sorrise e fece un cenno affermativo col capo. Leonìno tirò fuori i cinquanta pesos che gli avevo dato a duemila metri e glieli porse. Lei, sorridendo, intascò la banconota facendo un leggero inchino di ringraziamento. Venne poi verso di me con la faccia di uno che non era riuscito a fare un'elemosina meno generosa. Pensò di doversi giustificare.

«È per mia figlia... come regalo.»

Gli dissi, con un sorriso compiacente, che aveva fatto bene.

Poco dopo che il treno era ripartito per l'ultima tratta Leonìno sembrò preoccuparsi.

«Non l'avrò mica offesa quella donna dandole dei soldi?»

«Perché? Le hai comprato il maglione, siete pari.»

«Non sarà firmato, però mi sembra bello. Sono sempre piaciuti i maglioni a mia figlia.»

Il treno raggiunse la miniera Concordia.

Quattromilacentoquarantaquattro metri. L'azzurro del cielo era del tutto sparito. Il panorama, in basso, era un oceano di montagne che si sfilacciavano all'orizzonte.

Mancava l'ultima rampa, che il convoglio attaccò azionando nuovamente la cremagliera.

Raggiunta la quota in piano non aumentò velocità, e a passo di lumaca affrontò il viadotto La Palvorilla, tutto in curva, lungo duecentoventicinque metri, alto sessantatre; interminabile.

Ebbi uno scombussolamento intestinale, evitai di guardare in basso per tutta la traversata del ponte, raggiunto l'altro costone andai alla toilette.

«Stai bene?» chiese Leonìno preoccupato. «Hai gli occhi fuori dalle orbite.»

Osservandolo ruminare foglie di coca come un vitellino spensierato e più serafico d'un cherubino, gli avrei mollato un cazzotto se solo ne avessi avuta la forza.

165

Passammo il vertice ferroviario ad Abra Chorrillos, quattromilaquattrocentosettantacinque metri, per arrivare poi sino al confine andino con il Cile a Socompa.

Il paesaggio mi lasciò il fiato a mezza gola. Sarebbe potuto essere l'inferno se l'orizzonte luminescente che si intuiva aldilà delle montagne non avesse sussurrato il paradiso.

Due pennoni elevavano le bandiere delle rispettive nazioni. Il forte vento le stirava nella stessa direzione; un vento gelido, che conficcava nel viso lamine d'acciaio. Mi sembrò una salubre scossa sentire il vento colpirmi la faccia, ma le gambe si muovevano a scatti e incerte.

In una vecchia baracca trasformata in posto di ristoro c'era la stufa accesa. Chi era sceso dal treno, dopo una breve resistenza all'aperto, si era subito rifugiato lì dentro.

Tutti ordinavano punch. Leonìno, dopo aver sputato la coca masticata prima di entrare, ordinò una birra, la bevve e si accese soddisfatto una sigaretta.

«Esco a fare una corsetta per vedere se il fisico mi tiene anche a queste altitudini.» E prese l'uscita della baracca.

Io, infagottato e pallido nella giacca a vento davanti al punch fumante e lui che trotterellava fuori sul piazzale. Tutti ridevano divertiti. Non alle mie spalle, proprio sul muso.

L'avrei ucciso.

Rispondevo con sorrisi compiaciuti, fingendomi altrettanto meravigliato dell'eccezionalità del fenomeno, ma malgrado quel risentimento balordo, speravo davvero che non gli accadesse niente.

La locomotiva aveva ultimato le manovre per agganciarsi davanti a quella che fin lì era stata l'ultima carrozza. Diede una serie di fischi per richiamare l'attenzione dei gitanti alla partenza. Tutti risalirono rapidamente, spinti perlopiù dall'aria fredda che ormai penetrava sotto gli abiti.

Poco dopo la partenza sarebbe stato servito il pranzo nel vagone ristorante. Il solo pensiero mi dava il vomito.

«Sarà l'aria, sarà il posto, ma ho un buco nello stomaco. Si mangia?» mi domandò sprofondato nel sedile come un pascià.

«Aspettiamo che l'hostess ci avverta.»

«Certo, certo», disse sfregandosi le mani.

«Tu cosa mangi?» mi domandò dopo che gli ebbi illustrato il menù.

Reggeva con entrambe le mani la lista, spulciando le
scritte dei piatti sotto cui erano elencati gli ingredienti.

«Penso di prendere un consommé.»

«Ma dov'è che non lo vedo?»

«In basso, a destra.»

«E che cos'è?»

«È una specie di brodino.»

Notò che aveva un costo di pochi pesos, e saputo che
era un brodino fece una smorfia di disgusto.

«Mangia anche tu la bistecca, devi tirarti su. Sei lì che
sei uno straccio. Tanto l'abbiamo già pagata no?»

«Certo, è nel costo della gita.»

«Mangia la bistecca, la bistecca... è il paese della carne
l'Argentina.»

Ordinai il consommé e la bistecca.

«Ho separato il letto!»

E affondava la forchetta nella costata.

«Ma è la figlia che si separa che mi preoccupa.»

Una patata arrosto in bocca.

«È sempre stata la più delicata delle due.»

Il tempo di inghiottire e bere un sorso.

«Adesso è diventata dura, scontrosa. È che ha sposato
un cretino, che pensa solo alle macchine, e parla come
quelli in televisione.»

Inghiottito un boccone dell'enorme costata che gli avevano servito, e imboccata una patata al forno, sembrava riemergere da un'apnea giusto per berne un goccio.

La carrozza-ristorante era stata restaurata, o rifatta in modo da sembrare, come il vagone postale, un salotto ottocentesco; con tendine di velluto arricciate ai finestrini e i sedili di pellame rosso, imbottito e trapuntato.

Tutto in stile! Ricordava i treni del vecchio West nei film americani.

Leonìno stava terminando la sua bistecca. Richiamai l'attenzione del cameriere chiedendogli di portare la mia.

«Cosa mi hai fatto ordinare la costata che mi dà nausea solo a vederla?» mi lamentai, quando mi fu sottratta la tazza del consommé e messo sotto il naso il piatto di carne.

«Se non te la senti non sforzarti, io non ho problemi a finirla se non ce la fai.»

Già! Prima dice di tirarmi su, poi di non sforzarmi. E lui fa tutto doppio, e a volte triplo. Da quando eravamo partiti da casa replicava almeno una volta ogni cibo o bevanda.

Non gli diedi tempo di appoggiare le posate. La forchetta si era appena sfilata dall'ultimo boccone trattenuto in bocca dai denti. Con la destra presi il mio piatto alzandolo per far posto al suo, che afferrai con la sinistra, sul quale rimaneva un lungo osso scarnificato.

Appoggiò i pugni sul tavolino, senza mollare coltello e forchetta, poi si scostò appoggiandosi allo schienale; liberò per un momento la destra, prese il bicchiere che gli avevo riempito e gli diede due sorsate generose, lo appoggiò soddisfatto e raccolse nuovamente il coltello per prendere la rincorsa e scagliarsi all'assalto del *trozo de culata*.

169

Tornammo dal vagone ristorante e sedemmo in panciolle ai nostri posti.

«Cosa dici se prendiamo un brandy e ci fumiamo un sigaro.»

«Io sto bene così. Il consommé mi ha messo a posto lo stomaco. Se vuoi bere qualcosa non hai che da ordinare.»

Ordinò il brandy e si fece servire anche un sigaro che l'hostess gli accese con un monumentale accendino.

Ricominciò, dopo la prima sorsata e due volute di fumo denso e tabaccoso, a raccontare delle aspettative tradite. Si ripeteva dalla partenza. Era faticoso dargli retta.

Richiamava la memoria del Cècco, sostenendo che probabilmente gli aveva salvato l'unione famigliare. Non immaginavo come. Ma era parlando della figlia, quella più debole, che prendeva un tono diverso.

Avrei sonnecchiato volentieri e magari dormito un poco, come altri nella carrozza; ma l'unico silenzio che avevo era lo spazio delle sorsate al ballon del brandy e delle boccate al sigaro, da cui sembrava poppare un nutrimento ancestrale; alla faccia della Pácia Máma.

«Perché non le scrivi?» gli dissi di botto.

«Come scriverle?»

«Certo! Da qui, dal treno. C'è una carrozza postale dove hanno lettere intestate del treno che viaggia nelle nuvole, cartoline, biglietti d'auguri, quello che preferisci, sarebbe sicuramente una bella cosa, e anche spontanea.»

Oddio!

«Le scrivi e le dici tutto quello che non sei mai riuscito a dirle.»

Mi guardò sospettoso. Che volessi farlo smettere di parlare o allontanarlo con una scusa? Dovevo aver marcato con troppo entusiasmo la trovata.

Diede una lenta boccata, altrettanto lentamente soffiò il fumo dalla bocca. I pensieri percorrevano le volute di fumo azzurrognolo. Mi trovai, a mia volta, a inseguire le circonvoluzioni celestine. Finalmente mi rivolse lo sguardo puntandomi il sigaro.

«Forse hai ragione. Non avevo mai pensato di scriverle. Certo, da Bergamo scrivere a Bergamo è da scemi, ma da qui lontano...»

Tirai il fiato. Avevo creduto che avesse frainteso le mie intenzioni e temevo che si incrinasse quella che, fino a quel momento, era stata comunque una buona convivenza.

Terminò il brandy in un fiato. Diede l'ultima profonda boccata al sigaro, come per prepararsi a un'immersione da primatista; schiacciò brutalmente il mozzicone nel posacenere, si alzò, e disse con cipiglio:

«Vado a scriverle!»

«Aspetta. Tieni questi pesos. Sai... bisogna pagarla la posta.»

«Certo. Grazie.»

Mi rannicchiai nel sedile cercando di schiacciare un pisolino.

«Le ho scritto come mi hai detto tu. Le ho scritto una bella lettera, tre pagine, sulla carta intestata con il disegnino del treno che mischia il suo fumo alle nuvole. Speriamo che le arrivi», disse, incurante che stessi dormendo.

«Cosa?»

«Le ho scritto come mi hai detto tu.»

«A chi hai scritto?»

«A mia figlia, la prima. Le ho detto tutto.»

Non stava nella pelle.

«Ah, bene. Hai visto che non è stato difficile.»

«Devo brindare!»

Ordinò un altro brandy. Diede una sorsata soddisfatta. Poi girò lo sguardo verso il finestrino rimanendo silenzioso a perdersi nel paesaggio.

Zitto!

Non sapevo se ringraziarlo o maledirlo. Sperando che se ne stesse in giro per il treno un po' di tempo, ero riuscito a prendere sonno. Quando si era avviato alla carrozza postale, avevo subito chiuso gli occhi, allungato le gambe, rilassato il corpo che sentivo contratto e appesantito. Dovevo essermi addormentato quasi subito.

All'orologio era trascorsa un'ora, ma non mi sembrava fosse passato tanto tempo. Avevo continuato a percepire i rumori di fondo, e mi sembrava di essere stato cosciente in una sorta di dormiveglia; ma doveva essere andata altrimenti; era improbabile che avessi pensato per tutto il tempo alla Tosca e che l'avessi difesa nel litigio che aveva avuto con lo zio, accusandolo di mentirle.

«Tienes escondido el dinero para volver a Italia.»

«No, Tosca! No! Vado e torno. Mia madre sta male, devo tornare, è vecchia e cieca ormai.»

«Con cual dinero vuelves a Italia? Tu has siempre escondido el dinero y la intención de volverte y abandonarme.»

Mentre litigavano, officiavo una cerimonia con aspersione di foglie di coca e alcol attorno al mucchio di pietre dei nativi. Come uno sciamano di antica setta, avevo minacciato il Cècco con sventure e flagelli, ma contento che se ne andasse; avevo invece coperto la Tosca di baci lussuriosi e carezze sensuali per tutta la cerimonia, approfittando dell'autorità conferitami.

Era stato quindi un sonno più profondo, un sogno, che solo da sveglio divenne tale.

Mi vergognai. Ma non ero turbato. Anzi, mi sentivo tonificato.

La circolazione sanguigna era migliorata e i muscoli mi si erano rilassati. Il senso di nausea avvertito per quasi tutto il tempo del viaggio era svanito.

Stavo meglio. Avevo rivisto la Tosca e mio zio.

Le facce dei contadini, i venditori di coca, che avevamo incontrato alle fermate del treno, dovevano essere arrivati tutti alla fine del sonno, quando ormai mi ero rigenerato.

Perciò non sapevo se ringraziare o maledire Leonìno.

Come sarebbe finita con la Tosca se lui non mi avesse svegliato?

174

Mancavano ancora tre ore all'arrivo a Salta. Ogni tanto mi guardava accennando un sorriso per poi tornare a cavalcare nel paesaggio fuori dal finestrino. Eravamo cotti.

Contenti, sì! Ma stanchi e silenziosi; e con una serenità che reclamava la fine.

Pensai a mio zio e alla Tosca su quel treno, di cui tante volte mi aveva parlato entusiasta. Come avevano vissuto l'avventura ai loro tempi?

Gringhíto continuava a scambiare occhiate tra me e il paesaggio che, infinito, ci riconsegnava alla partenza.

A Salta ci accolse la notte fonda.

La stanchezza lasciò il posto al breve esame di coscienza prima di chiudere gli occhi e l'ultima luce sulla giornata.

«Buona notte!»

«Buona notte.»

Un tintinnio vitreo mi svegliò.

Aperti gli occhi sul soffitto, non capivo cosa fosse quella sveglia. Mi guardai in giro e mi ritrovai in camera.

«Sei già vestito?»

«È da un po' che sono vestito.»

Le bottiglie del frigobar mi avevano dato l'alzata. Si stava versando da bere.

«Non cominciare di prima mattina.»

«Prima mattina? Forse da un'altra parte.»

Non capivo cosa mi stesse dicendo. Guardavo la sua figura nella penombra, distinguendolo a malapena dal resto del mobilio solo perché si muoveva. Desiderai che anche lui fosse un mobile.

«Ma che ore sono?»

«Mezzogiorno!»

«Mezzogiorno? E da quanto sei in piedi?»

«Dall'ora della colazione.»

Cosa avevo scordato?

Pensai attentamente, ma non ricordavo che cosa. Non avevamo impegni o appuntamenti. C'eravamo dati una giornata di tregua, pausa, ozio.

«Ma non abbiamo niente da fare oggi?» dissi dubbioso.

«Se aspettiamo ancora un po' ci perdiamo il pranzo.»

Rivoltai le coperte, scesi meccanicamente dal letto, mi recai in bagno, mi guardai allo specchio. Ero ancora io.

Dovetti però aspettare qualche minuto per rendermene conto. Tornai nella stanza.

«Che ore sono esattamente?» gli chiesi sbadigliando.

«Dodici e un quarto.» E diede un sorso.

«Ma cos'è questa puzza?»

«Già, l'ho sentita anch'io quando sono entrato.»

Un tanfo di caprone selvatico mi aveva investito uscendo dal bagno.

«Hai toccato qualcosa mentre eri fuori, o sei stato in qualche posto strano?»

«Figurati! Sono sceso, ho fatto colazione, sono uscito in piazza e ho girato in tondo fino adesso.»

Da dove veniva quell'odore?

Aprii gli armadi, lì sembrava attenuarsi. Tornai in bagno per capire se venisse da qualche scarico: nulla; anzi, lì sembrava di respirare aria fresca. Tornai in camera annusando alla ricerca di una traccia. Mi avvicinai al suo letto. Il puzzo aumentava.

Per terra, appoggiata al suo comodino, c'era la sacca che aveva portato sul treno delle nuvole. Pareva che l'odore venisse proprio da lì.

«Hai comprato qualcosa da mangiare che sta andando a male?»

«Quando?»

«Non so, ieri sul treno; da qualche venditore nelle stazioni?»

«Neanche per sogno, non avevo neanche i soldi.»

Mi sentii Arpagone.

«Gli unici soldi che avevo li ho dati a quella vecchia per il maglione.»

«È ancora nella sacca?»

«Certo!»

«Ti fa niente aprirla e toglierlo?»

«Ci mancherebbe.»

177

Appena aperta la cerniera dello zainetto il tanfo impregnò tutta la stanza.

«Oh madonna! È il maglione.»

«Non l'ho neanche toccato!» disse mortificato.

Portai il maglione in bagno. Tappai il bidè. Lo riempii per metà. Presi le bustine di bagno schiuma e di shampoo in dotazione e le versai nell'acqua. Vi immersi il maglione che la prosciugò quasi tutta. Scartai la saponetta della doccia e cominciai a sfregarlo in ogni parte. Leonìno mi seguiva attonito con il bicchiere in mano.

«Come mai una cosa simile?»

«Porta qui anche lo zainetto, si sarà impregnato dello stesso odore.»

Nello zainetto non aveva nient'altro. Lo annusai. L'odore non era forte. Aprii la finestra del bagno e lo appesi alla maniglia lasciando tutto spalancato.

«Mi hanno tirato una bidonata! E adesso cosa porto a mia figlia?»

Ebbi un moto di stizza, ma era tanto deluso che la rabbia mi smontò di colpo.

«Non è niente, vedrai che tutto si sistema», dissi con un certo sforzo.

«Ma perché puzza così?»

«È l'odore della Pácia Máma.»

«E cos'è la Pácia Máma?»

«Leonìno, òstia! Che... che odori vuoi sentire a quattromilametri di quota, col freddo che fa e l'aria rarefatta? Come credi che potrebbero sopportarsi se si sentissero gli odori che hanno addosso da milioni di anni? L'unica cosa che non puzza a quell'altezza sono i fossili, e non ci sono certo le lavanderie. Tranquillo! Lo lasciamo a bagno e vedrai che domani sarà un maglione normale. Intanto apri le finestre della camera, altrimenti scambiano noi per caproni.»

Mi guardai allo specchio. Alzai gli occhi al cielo.

«Mavadavialcül.»

178

Finalmente stavo bene.

Comunque inghiottii un'aspirina appena il cameriere ci portò le bottiglie dell'acqua e del vino. Avevo appetito; anzi, fame. Pensandoci bene non avevo mangiato granché sul treno e aspettando che ci servissero spiluccai un pezzo di pane, mi versai del vino e accennai un brindisi con Leonìno.

«Adesso ti riconosco», disse picchiando il suo bicchiere contro il mio. «E scusami per il maglione.»

Strappava bocconi di pane che inzuppava nel calice di vino e, salandoli leggermente, se li portava alla bocca con ingordigia. Se non lo avessero tradito i capelli bianchi, le rughe alla fronte, e la pelle delle mani raggrinzita, si sarebbe potuto confondere con un adolescente in fase di sviluppo.

Cominciò nuovamente a parlare contento; sinceramente contento che stessi meglio. Gli argomenti non erano più quelli personali e un po' tristi dei giorni precedenti, ma tutto! Tutto lo scibile leoniniano.

«Bello, bello. Non ho mai passato una vacanza così.»

Mangiai anch'io con soddisfazione, ma era più gratificante veder mangiare lui.

Solo un altro tavolo era occupato, e in tutta la sala dell'albergo, dove, vista l'ora, avevamo deciso di pranzare, c'era un silenzio rilassante. La sua voce, l'unica, mi giungeva pacata e gradevole e ben si intonava ai pochi rumori di forchette, piatti, bicchieri, passi di camerieri, che si perdevano nell'ampio locale.

Fui percorso da un brivido.

Mi balenò l'idea di essergli padre, di averlo in qualche modo adottato. Scossi la testa a quel pensiero quasi a volerlo far uscire dalle orecchie. Mi sembrò di sentire la risata dello zio e con essa l'affidamento di Leonìno.

«...il resto è tutto tuo...» Che burla!

«Questa sì che è vita», disse inghiottendo l'ultimo boccone.

«Ma è difficile resistere facendo una vita così», obiettai.

«Si resiste, si resiste. Bisogna resistere. Guarda il Cècco; ha resistito quasi quattro anni. E allora l'Argentina era ancora più ricca di adesso. Mi ricordo quando mi raccontava le sue avventure. Finiti i lavori di una casa, lui e la Tosca partivano a cavallo e andavano a caccia anche per tre giorni di fila. Quella sì che era vita.»

Pareva riviverla, amplificando i fatti che il Cècco doveva avergli raccontato. Forse con lui era stato più generoso di particolari di quanto non fosse stato con me. Ma non ero geloso, anzi, mi sentivo rianimato, sollevato da un peso che era diventato ossessione. E non ero più pentito, come in un primo momento, di aver portato con me Leonìno, che se a volte con la sua logorrea mi toglieva tranquillità, mi aveva però aiutato a colmare la distanza generazionale tra me e lo zio.

Avevo la certezza di aver compiuto un dovere.

Mentre lui terminava una sorta di frittellona impregnata di zucchero, sorseggiando un vino liquoroso che avevano servito con il dessert, arrivò alle mie spalle il portiere scusandosi dell'intrusione.

«Perdóneme señor Domo.»

180

«Que pasa?»

«Ayer, una chica muy linda ha depositado este sobre para usted», disse porgendomi una busta.

«Para mi?»

«Sì. Y me ha pedido: personalmente.»

«Gracias.»

«De nada.» E se ne andò.

Leonìno guardò curioso ma non interruppe la masticazione. Lo zucchero gli disegnava dei baffi bianchi attorno alla bocca.

Rigirai la busta un paio di volte. Era ben chiusa. Non riuscivo ad immaginare cosa potesse contenere. Presi il coltello e la aprii.

Dentro c'era la fotografia a mezzobusto in bianco e nero di un giovane dai capelli curati e pettinati, ben vestito di giacca e cravatta. Credetti di notare una somiglianza con mio zio.

«Chi diamine è costui?» dissi.

Voltai la foto e lessi sul retro:

«Ghido Corona y Livi

Banco De Correo

Mercado de Pulgas del Bajo 79/81.

Rosario»

La scritta era in stampatello.

«Tosca», la firma in corsivo.

«Rosario!?» mi scappò a mezza voce.

Leonìno era intento a raccogliere con l'indice bagnato i granelli di zucchero che erano rimasti nel piatto. Il giovane della foto mi guardava fisso. Rilessi la scritta, e poi misi la foto nella busta.

«C'è qualche problema? Sei smorto.»

Davanti intravedevo sfuocato Leonìno, le narici e le orecchie sembravano tappate e un improvviso calore mi

181

prese alla gola. Afferrai il bicchiere dell'acqua e diedi due sorsi.

«È un invito per questa sera a una festa in una *estanca*, dove si esibiscono artisti di vario genere.»

«Bello!» disse entusiasta.

«Leonì... bello cosa?» risposi di scatto. «Se vengono ad adescare i turisti negli alberghi è probabile che quello che promettono non valga un granché.» Continuai più pacato per riuscire persuasivo. «Basta il nome: "La Casona del Molino". Ti lascio immaginare!»

Mi aveva fatto ridere quel nome che battezzava una villa storica di Salta.

I giorni precedenti avevo notato dei pieghevoli pubblicitari sul bancone della reception che promettevano una tradizionale serata Salteña, tra empanadas e spettacoli vari. Me lo ero ripetuto tra me e me, divertendomi più volte: 'La Casona del Molino', e così, di botto, mi venne in soccorso per l'occasione.

«Non vorrei essere nei tuoi panni... decidere ogni popò di ambaràdàm. Uhè, non siamo mica a due chilometri da casa! Bravo, bravo Valerio. Si vede che hai studiato da geometra», disse orgoglioso.

«No, guarda che ti sbagli. Non ho studiato da geometra.»

«Non sei geometra? E come lavori alla cementeria?»

«Non ci sono solo geometri lì dentro. Io sono chimico.»

«Ma quelli non fanno le medicine?»

«Alcuni fanno le medicine, altri fanno analisi dei materiali prima di...» Mi fermai chiedendomi cosa stessi dicendo e cosa interessasse a lui della mia laurea in chimica.

«Ero convinto che fossi geometra; che peccato!»

Decisi di cambiare discorso.

«Ho pensato di modificare il piano delle nostre vacanze», dissi a bruciapelo.

«Torniamo a casa?» chiese allarmato.

«No, no. Pensavo solo a una variazione di programma.»

«Cosa vuol dire?»

«Abbiamo prenotato per domani la gita nella zona dei vini, e poi pensavamo di trascorrere a Buenos Aires gli ultimi giorni di vera vacanza...»

«E va bene no?»

«Sì che va bene, solo che... anziché fermarci ancora due giorni qui, potremmo raggiungere Rosario in treno, avvicinandoci a Buenos Aires.»

«E cosa c'è a Rosario?»

Continuai risoluto senza guardarlo in faccia.

«È una delle grandi città dell'Argentina, e nelle grandi città c'è sempre qualcosa di interessante. Ma soprattutto, a Rosario è nato il Che.»

«Chi?!»

«Il Che. Ernesto Guevara, detto il Che.»

Si bloccò sulla sedia, fissandomi rigido come una stele di Carrara. Il calice che stava portandosi alla bocca rimase a mezz'aria.

«Sei un genio!» aggiunse dopo tre secondi di profonde riflessioni.

Salivo i predellini del treno lasciando alle spalle Salta «La Linda», la sua cattedrale barocco-coloniale piena di grazie ricevute tributate alla 'Señora del Milagro' e al Cristo Redentor; le sue strade squadrate, i pastelli sui muri e le montagne rosa pallido che la inghiottivano anche di mattina.

E la Tosca? Sacrificata! Cancellata sulla banchina dai vapori del treno che piegava docilmente alla prima curva.

Così rividi la partenza dello zio, e forse, come lui, lasciavo lì qualcosa.

«Perché la gente scappa dalla felicità?»

Leonìno, spaparanzato sul sedile, non aveva sentito bene.

«Cosa hai detto?»

«Niente, niente.»

Ci eravamo scambiati gli indirizzi e i numeri telefonici. A che scopo?

Leonìno mi aveva buttato giù dal letto alle cinque e mezza, obbligandomi a scendere alla cabina telefonica dell'albergo per officiare quello che, da giorni, era diventato il «Mattutino Argentino».

Attendere esattamente le ore sei, che in Italia erano esattamente le dieci, farsi passare la linea dal portiere, e al salmo: «Mùcio Mùcio-ti passo Leone», come lo chiamava, tornare a letto senza più riprendere sonno per tanta ridicolaggine.

«Mi spieghi perché mùcio?»

«Te l'ho detto, è la parola d'ordine.»

«Sì, ma perché mùcio?»

«In spagnolo vuol dire molto.»

«Questo lo so. Ma molto cosa?»

«Molto e basta. A lei veramente piaceva "micio", ma io le ho detto che era troppo pericolosa una parola italiana. Poi, a essere sincero, mi sembrava insulso alla nostra età scaragnare come dei gatti.»

Non volevo sapere altro di quella faccenda che invece si prodigò a spiegarmi, con dovizia di particolari che mi fecero arrossire.

«Non intendevo sapere di che si tratta, chiedevo solo perché mùcio-mùcio e non... che so... pàcio-pàcio?»

«Te l'ho detto, era la parola più vicina a quella che piaceva a lei.»

Riuscì a dirmi che da un anno aveva quella relazione che, secondo lui, gli aveva salvato il matrimonio. Non volli, nuovamente, addentrarmi nella sua logica. Quel che non riuscivo a immaginare era cosa si dicessero ogni volta, per stare mezz'ora al telefono.

«Ogni tanto potresti anche chiamare Luisa», buttai lì perfidamente.

«No, sei matto. Si preoccuperebbe. Lei la chiamo solo quando ho bisogno di qualcosa. Non capirebbe altrimenti.»

Rimasi di stucco e notò l'espressione.

«Avrai provato anche tu a essere innamorato.»

«Certamente.»

«Da vecchi è peggio.»

«Quale vecchio, che sei pieno di salute!»

«Proverai, proverai cosa vuol dire.»

Ruminai pensieri per tutto il viaggio, ma stavo bene.

Non avevo sentito la necessità di prendere aspirine, inoltre, abbassandoci sotto l'equatore, il clima, che si sarebbe temperato ulteriormente, avrebbe solo avuto un effetto benefico.

Gringhíto, olimpico, assumeva pose presidenziali. Non aveva mai viaggiato con così tanti mezzi in uno spazio di tempo così breve e si atteggiava ormai a esperto giramondo.

«Questa è vita!» disse entusiasta. «Una settimana qua: spostamento in aeroplano; una settimana là: spostamento in treno... si potrebbe girare tutto il mondo a sta maniera. Se solo penso al viaggio fino a Mosca che volevamo fare in bicicletta. Che brividi. Venti giorni... mi viene da ridere. Qui, duemila chilometri, zàcchete. Eeh, non sono mica cose di paese.»

«A Mosca in bicicletta!?»

Con la più schietta naturalezza iniziò a raccontarmi del viaggio a Mosca.

Lui e suo fratello avevano preparato tutto, disse, le tappe del viaggio, i permessi di transito sul territorio russo, «...con i timbri dei Soviet...» , le visite a Mosca, «...ma solo due giorni!»

Chiusa l'officina per le ferie erano partiti; in bicicletta.

Disse che arrivati in Cecoslovacchia sul confine con la Russia, le guardie sovietiche non volevano lasciarli proseguire.

«Dicevano che avevamo i documenti che non erano buoni, figurati, ce li aveva procurati Stalino! È che volevano che proseguissimo lasciando lì le biciclette.»

«E voi?»

«E come andavamo? A piedi?»

In poche parole: le guardie tentavano di fregar loro le biciclette.

«...tira e molla...» avevano capito di dover andare in un paese a trenta chilometri dalla frontiera dove un commissario cecoslovacco doveva mettere un timbro sui passaporti.

Rintracciato il commissario del timbro, avevano dovuto aspettarlo fino al pomeriggio perché era a caccia; in più, pareva che anche lui facesse la stessa manfrina delle guardie al confine, puntando a sua volta le biciclette.

«...non avevano mai visto delle biciclette così da quelle parti.»

«E allora?»

Dovettero rinunciare.

Disse che avendo previsto l'arrivo a Mosca in diciassette giorni, perdendo un giorno di viaggio, sarebbero saltate tutte le combinazioni per il ritorno in treno come programmato. Era ancora deluso.

«E cosa avete fatto?»

Disse che ormai erano le tre del pomeriggio.

«...ci siamo guardati, abbiamo girato le biciclette e siamo partiti per il confine dell'Austria... non ci ha più visti quello lì.»

Nell'ultimo paese prima dell'Austria presero alloggio in un alberghetto.

«...anche lì è stato un problema... non volevano che tenessimo le biciclette in camera...»

Il mattino dopo, molto presto, temendo qualche altra difficoltà alla frontiera, andarono alla stazione per salire sul primo treno che passava il confine; e siccome avrebbero dovuto abbandonare le biciclette per caricarle nel bagagliaio del treno:

«...abbiamo viaggiato nel vagone portabagagli con le nostre biciclette...»; fino alla prima stazione austriaca, dove erano scesi e ripartiti per casa.

«Ma subito?»

«...Alle nove di sera eravamo sul Garda, non ricordo più dove. Ci siamo lavati e cambiati, e siamo andati a cena; tra l'altro in una trattoria dove abbiamo mangiato molto bene. Pescetti fritti... eccetera. A mezzogiorno del giorno dopo eravamo a casa a mangiare una bella pastasciutta. Dovevi vedere la faccia della Luisa. Che sorpresa!»

L'avventura russa, e altre che riuscì a incastrarci dentro, rivissero nelle sei ore di viaggio come un fiume in piena. La chiacchiera filava più liscia e non era venata di malinconie; e solo quando mi si rivolgeva direttamente aprivo bocca. Ma trattandosi di domande a cui perlopiù dava risposta da sé, mi limitavo a commentare con laconici «certo, certo».

Avrei preferito ancora una volta essere solo, ma fintanto che parlava delle sue avventure, potevo sperare che non collegasse l'arrivo della busta con l'improvvisa partenza da Salta. Mi chiedevo se la Tosca, mandandomela, aveva voluto farmi sapere che c'era dell'altro di mio zio, oltre a un'amante abbandonata.

Dal pieghevole che avevo istintivamente preso nell'agenzia turistica solo perché vi era l'immagine del Che, avevo avuta la sorpresa. Tra le attrazioni turistiche dell'Argentina c'era la 'Casa Museo' del 'Niño Revolucionario'. Fino ad allora avevo creduto fosse cubano.

Altro che Santino, altro che onorare la memoria dello zio. Chi pensava che mi avrebbe illuminato così tanto da cambiare strada. Tenevo infilato il povero Ernesto con la foto, nella tasca interna della giacca, e mi toccavo ogni tanto il petto per controllare che ci fossero ancora tutt'e due.

190

Si interruppe all'annuncio della stazione, fino all'area dei tassì.

«Sappiamo dove andare?»

«All'hotel El gaucho», dissi all'autista che ci guardava nello specchietto in attesa di istruzioni.

«Ostia, al gaucio! Come fai a sapere che esiste il gaucio?»

«L'ho prenotato da Salta quando sono stato a cambiare il piano di volo.»

«Bravo, bravo. È un bel viaggiare con te. E cosa facciamo qui a Rosario?»

«Ti ho detto: è la città natale di Che Guevara, non hai guardato quel pieghevole che t'avevo dato? Siccome hanno trasformato la casa dove è nato in museo, ho pensato che sarebbe stata una cappelletta che il Cècco avrebbe visitato.»

«Ah sì eh, Che Guevara era un nostro compagno. Rivoluzionario.»

«Appunto!» dissi tirando il fiato.

Il cambiamento del piano di volo ci era costato qualche soldo di differenza; ma pur di scrollarmi di dosso l'atmosfera pre-andina creatasi e i nuovi presentimenti, mi sembrò indispensabile voltare pagina.

La prenotazione era per due sole notti.

Lasciati i bagagli in albergo, ciondolammo fino a sera per la città, accertandoci soltanto dell'orario di apertura del museo, che decidemmo di visitare con calma e senza fretta il giorno seguente.

Feci in modo che il nostro ciondolare ci facesse imbattere nei monumenti significativi di Rosario, i cui azzardi architettonici, mal celavano la sua naturale prerogativa di città commerciale e industriale che i pieghevoli illustrativi vantavano con enfasi.

L'ampio porto fluviale sul rio Paraná ne dava conferma con la presenza di navi di grosso tonnellaggio che risalivano il fiume fino lì per caricare zucchero, cereali, carne congelata, petrolio, zinco, frutta e verdura della Pampa. Enormi gru si levavano in cielo operose in un rivolo di strade ferrate che si perdevano sino alle stazioni commerciali di carico. Poco all'interno degli argini del fiume, enormi magazzini muovevano uomini e merci, lasciando spazio sufficiente a basse e vecchie costruzioni dalle quali entravano e uscivano miriadi di persone.

Il portiere dell'albergo ci aveva detto che lì avremmo trovato le diverse anime di Rosario, ma di stare attenti; non tutti i posti erano raccomandabili. Per arrivarci, avremmo passato il Mercado de Pulgas del Bajo che incrociava con avenida Belgrano, davanti al Parque de la Bandera.

Ero quindi riuscito a passare per el Mercado e verificare i civici 79/81 senza che Leonìno se ne accorgesse. Erano l'ingresso di una banca.

Tirammo dritto fino al fiume.

Strade lastricate, viuzze, portici; era tutto molto pittoresco e senza esasperazioni turistiche. Ogni abitazione, ogni negozio, ogni locale del porto aveva, davanti all'ingresso, tre o quattro gradini che salivano alla soglia, e altrettanti per scendere nell'ambiente interno. Quella che mi sembrò una curiosa caratteristica risultò essere una protezione dalle esondazioni del Paranà.

Entrammo in una taverna. L'arredo del locale era totalmente casuale e l'andirivieni degli avventori caotico. Uomini, con le sole mani pulite, prendevano posto ai tavoli per mangiare come a una mensa. Non ordinavano niente, ma, dopo pochi minuti, una delle due cameriere andava al loro tavolo con uno strofinaccio per liberarlo dagli avanzi del pasto precedente e, riguarnita la tavola con tovagliette di carta per ognuno, serviva il cibo senza menù di sorta.

In un angolo, su una pedana unta e bisunta c'era un gruppo di suonatori.

Il violino era in mano a una donna di età indecifrabile. Gli altri tre orchestrali erano decisamente attempati. Di tanto in tanto il chitarrista rimava la musica con strofe cantate a cui dava un accento straziante e malinconico.

«Cosa dici? Ci fermiamo qui a cenare?»
«A me va benone!»

Dissi, a quello che mi sembrò il padrone, quale era la nostra intenzione. Scrutò l'ambiente, ma tutti i tavoli erano occupati. Ci fece intendere che appena un tavolo si fosse liberato sarebbe stato il nostro.

«Una copa de vino tinto por favor», ordinò Leonìno.
Gli dissi di aspettare, che ci sedessimo, ma lui ribatté:

«Metti che ci voglia mezz'ora! E poi dobbiamo brindare al Cé.»

Finalmente si liberò un tavolo e, dopo averlo ripulito, ci fecero accomodare, portandoci anche un menù.

«Hai sentito che tango?» disse preso dall'emozione. «Io quando sento il tango non sto più nella pelle. Divento un leone.»

«A proposito, com'è che ti hanno chiamato Leone?»

«No! Il mio nome non è Leone. È proprio Leonìno. Mio padre voleva chiamarmi Umberto, come il re; mia madre invece aveva una debolezza per il papa Leone tredicesimo che ogni giorno pregava perché lo considerava un santo. Mio padre le aveva chiesto di non ostinarsi a chiamarmi Leone che lui non si sarebbe ostinato a battezzarmi Umberto; che tutti avrebbero finito per chiamarmi Leo, come i ricchi chiamano il loro cane perché non sanno fischiare.»

«E come è finita?»

«Come le cose tra marito e moglie. Che lei non ha ceduto.»

«E allora perché Leonìno e non Leone?»

«Per farle un dispetto. Siccome è andato lui a registrare la nascita in Comune mi ha messo nome Leonìno per rimpicciolirle il papa.»

«Che stupidaggine!»

«Questo non è niente», continuò, «quando mia madre lo ha scoperto, alla prima occasione ha separato il letto matrimoniale e non ha più voluto dormirci insieme. E lui c'ha sofferto per questo; per fortuna che poco tempo dopo è morto di crepacuore, sennò era ancora qui a patirci sopra.»

«Dobbiamo ordinare», dissi sconcertato.

Arrivò la cameriera, con una penna e un blocchetto di carta. Leonìno le sbirciò il seno, che germogliava creolo dalla scollatura della camicetta bianca.

«Que desean los señores?»

Mentre mi davo un tono cercando nel menù qualche specialità, Leonìno indicò alla ragazza le portate che altri clienti stavano consumando nei tavoli vicini.

«Chel'lè, chel'lè, chel'lè! Ti va bene?» mi domandò gentilmente.

La ragazza mi guardò con un sorriso che mostrò una dentatura bianchissima dietro labbra amaranto.

Leonìno ammiccava per l'ottima scelta.

«D'accordo», dissi alla ragazza.

Mentre stava per andarsene, Leonìno la trattenne per il braccio, si portò il pollice alla bocca e le ordinò:

«Vino tinto!»

Per tutta la cena ci fu un andirivieni di gente. La maggior parte si fermava il tempo per mangiare e se ne andava poi come dovesse riprendere un lavoro interrotto giusto il tempo di nutrirsi. Finito di cenare, tutti o quasi passavano davanti alla pedana dei musicisti dando un mezzo giro di tango e lanciando un urlo isterico a cui altri, dai tavoli, rispondevano con altrettante grida come se stessero radunando una mandria.

Terminavamo la seconda bottiglia di vino, quasi tutta bevuta da lui, quando un duetto in controcanto intonato da violino e fisarmonica accompagnò l'ultimo bicchiere con desolata tristezza. Una commozione prepotente mi lucidava gli occhi levandomi il respiro. Una tempesta di sensazioni e pensieracci si scontravano in testa.

Tosca! Tosca!

Leonìno percepì il mio disagio.

«Perché non chiami tua moglie e le fai sentire per telefono questo tango?»

Fissandomi lasciò il bicchiere e mi poggiò una mano comprensiva sul polso. Socchiuse gli occhi in un cenno di complice intesa. Aveva colto le circostanze, i motivi delle mie emozioni; e un'umana e pietosa indulgenza gli aveva aperto uno squarcio. Lo guardai smarrito.

«Bevi un cognacchino», aggiunse paternamente.

Fu l'unica volta che ebbe, se così si può dire, un riguardo sentimentale.

«Oggi pomeriggio dove andiamo?»

«Perché non ce ne stiamo quieti qui in albergo?»

«Be', io vado a fare un giro», disse risentito.

La sera prima, al porto, non aveva gradito che si tornasse subito in albergo dopo la cena, e che oggi, dopo il pranzo, non avessi voglia di uscire.

Non ero stanco, ma la visita mattutina alla casa del Che mi aveva amareggiato e fatto decidere di rimanere in albergo.

In realtà mi tormentavo sul da farsi.

La disponibilità di cartoline e souvenir mi fornì la scusa per scrivere un ricordo a varie persone prima di ripartire per Buenos Aires il giorno dopo.

La casa-museo del Che si era dimostrata modesta e poco curata. La maggior parte delle fotografie erano di carattere famigliare: del padre, della madre, della sua infanzia. Altre da studente universitario o peregrino per la 'Patria Grande', con mezzi scalcagnati e di fortuna, altre nella sua 'Patria Chica'.

Insopportabili le bandiere bianco-azzurre in ogni stanza e i continui riferimenti a personaggi eroici di lotte indipendentiste argentine del secolo precedente la sua nascita, quasi a sottolineare il carattere ineluttabilmente libertario del popolo pampero.

Ernestito, per distinguerlo dal padre; Tetè, per gli intimi; FuSer, Furibondo Serna, con la maglia da rugby; el Chancho, nemico giurato del sapone; el Pelao, per i ca-

pelli cortissimi. Niente che somigliasse a quel che conoscevo. Ne sapevo poco in verità, soprattutto della sua infanzia; e la guida illustrata, comprata all'ingresso, rendeva statale la leggenda mondiale.

Ogni pagina glorificava l'argentinità; dal mate *amargo*
dei machos argentini, all'intraprendenza per raggranel-
lare qualche *mangos* vendendo scarpe scompagnate, in
giro per Buenos Aires, a chi aveva una gamba sola; trop-
pe note sulla sua salute, che non aveva minato il temperamento e lo spirito indomito del Niño Argentino. La te-
starda resistenza all'asma sembrava esaltata come una
qualità genetica di quel popolo sudamericano. Non avevano dimenticato l'evento che scatenò la prima crisi, a
due anni, sul Rio de la Plata; lasciato solo sulla riva dalla madre che si faceva la quotidiana nuotata di due ore,
come se avesse somatizzato il senso dell'abbandono per
il resto della vita.

Gringhíto mi aveva seguito nella visita guardando più
me che le immagini o gli oggetti domestici in esposizio-
ne. Le sue scacchiere, i libri, la rivista «Tackle» da lui
fondata con altri amici. Anche Leonìno era smarrito
senza i riferimenti politici per cui il Che era conosciuto
nel resto del mondo, e continuava a osservarmi per vedere se le mie reazioni erano in sintonia con le sue.

Nulla! Niente della straziante guajira *Hasta siempre*.

Troppo gaucho per un'ideologia sovversiva, troppo
errante, troppo bravaccio, troppo rio-platense, troppo
Martín Fierro. Una delusione.

Cosa non trovavo? Lo zio?

Tutto compiaceva la riabilitazione decisa dal governo
di quell'«anima argentina» randagia e antigovernativa. Il
francobollo commemorativo ne era la prova: tutti potevano ormai appicciare il Che su qualsiasi pacco, busta,
plico e spedirlo.

Lo spirito argentino aveva avuto il sopravvento nell'e-sposizione, e quella mistificazione più o meno delibera-ta mi rese dubbioso. Solo alla fine vi era un breve cenno all'avventura cubana e boliviana, e l'immagine leggen-daria del «Pelao Barbudo» appartenente al mondo, illu-minava l'ultima stanza.

Gli avevano però tolto la stella dal basco.

«Eccolo!» sussultò Leonìno davanti all'icona universale.

Erano le quattro pomeridiane.

Finito di scrivere cartoline un po' a tutti chiesi al portiere dove fosse la più vicina buca delle lettere. Mi rispose di lasciarle a lui, che avrebbe provveduto all'invio.

Mi prese in contropiede. Gli inventai che dovevo cambiare del denaro e quindi comunque uscire.

«Tanbién nosotros cambiamos moneda», disse zelante.

Lo ringraziai e gli dissi che gradivo fare una passeggiata.

Controllai che nella tasca interna della giacca ci fosse la fotografia. Era inutile guardarla ancora, me la ricordavo fin troppo bene.

Presi la strada della sera prima fino al Mercado. Superai più di una cassetta postale senza imbucare le cartoline. Mi sentivo più naturale con in mano qualcosa che non fosse una cartina turistica.

Non avevo detto in portineria di avvertire Leonìno, se mi avesse cercato, che sarei ritornato subito.

«Adelante señor, a las cinco y media los bancos cierran.»

A fianco dell'ingresso, all'ottantuno, c'era una buca postale.

Entrai in banca con le cartoline.

Allo sportello dei cambi non c'era nessuno, né davanti né dietro. Finsi di leggere le targhette dei vari sportelli per rendermi familiare l'ambiente. Nessuno degli impiegati si era distratto dal proprio lavoro.

200

«Ma cosa faccio qui? Cosa sono venuto a fare? Stai calmo. Non agitarti. Cosa chiedo cosa, e a chi? Perché Tosca non me ne ha parlato, mentre eravamo soli nel salotto? Non ne avrà avuto il coraggio? E perché poi l'ha trovato il coraggio? Lei. Così bella, forte, sicura, donna. Appunto! Donna. Ma cosa vai a pensare. Avrà creduto giusto che sapessi. Ma sapere cosa? Che lo zio ha un figlio? Un figlio, figuriamoci, me l'avrebbe detta una cosa così grossa.»

Mi diressi allo sportello del cambio; l'impiegato, seduto alla scrivania, si avvicinò. Era sulla cinquantina o poco più.

«Desea?»

«Un cambio.»

«De que, señor?»

Non era lui. Presi dal portafogli due banconote da cento dollari e gliele porsi.

«Que pasa señor. A Rosario no cobran dolares?»

Non capivo l'ironia.

Accortosi che ero straniero, mi disse con amabile pazienza che gli sembrava impossibile che a Rosario faticassi a pagare in dollari. L'incetta alla moneta verde era lo sport più diffuso in quel momento in Argentina. Aggiunse, quasi sottovoce e guardandosi prima alle spalle, che in qualsiasi posto in cui avessi pagato in dollari, mi avrebbero applicato un cambio molto più favorevole.

Ormai smascherato, giustificai la richiesta dicendogli che non ero entrato per cambiare dei dollari.

Mi guardò con la sorpresa di chi non capisce per cos'altro uno entri in banca se non per questioni di soldi. Attese una spiegazione. Il suo volto, da amabile, diventò familiare.

«En verdad buscava el señor Ghido Corona y Livi.»

Mi guardò scrutandomi meglio; poi aggiunse:

201

«Ghido Corona soy yo. Usted es Valerio Domo?»

Mi allungò la mano illuminandosi in volto. Gli porsi la mia, imbarazzato. Si avvicinò poi sporgendosi sul bancone e chiedendomi di aspettarlo al bar Roma, in piazza, dove mi avrebbe raggiunto quanto prima.

«...A las cinco de la tarde...»

Quella era l'ora quando raggiunse il tavolino al quale ero seduto ad attenderlo.

Ci demmo nuovamente la mano. Questa volta riuscii a stringerla. Fece lui l'ordinazione al cameriere italiano che conosceva, fiero di dirgli che anch'io ero italiano.

Lo confrontai a memoria con la foto che avevo in tasca. Era una foto di almeno vent'anni prima; vestiva bene, giacca e cravatta, ma i capelli mostravano una calvizie incipiente. La somiglianza con lo zio, sempre a memoria, mi sembrò meno evidente.

Mi disse che Tosca gli aveva telefonato avvertendolo che, probabilmente, sarebbe passato da lui il nipote del «Ghido».

Probabilmente?! Che tosta!

Cominciò a parlare eccitato e visibilmente euforico di raccontarmi cose di trent'anni. A ogni racconto mille sensazioni. Accorgendosi di non concludere sempre compiutamente il pensiero che aveva in testa, si interrompeva lasciando che gli occhi spiegassero per lui.

Era un buon italiano quello che parlava, mi complimentai. Mi disse che aveva voluto studiarlo apposta, e non solo, frequentava quasi esclusivamente italiani per poterlo parlare sempre meglio.

«Mi dispiace che Ghido è morto.»

Fissò silenzioso la spremuta d'arancia che ci avevano servito, sembrò commemorare lo zio. Confuso feci lo stesso.

Riprese a parlare e raccontò di come «Ghido» lo aveva aiutato.

A suo dire, lo zio e la Tosca lo avevano adottato dopo averlo trovato abbandonato. Non ricordava lo zio perché quando partì per l'Italia lui aveva solo pochi mesi; ma da una certa età in poi gli aveva sempre scritto e soprattutto inviato dei soldi perché studiasse e si facesse una posizione.

Ripeté più volte che era felice che fossi passato da Rosario per conoscerlo e che da alcune foto di «Ghido», che Tosca gli aveva mostrato, lo riconosceva in me, lì davanti a lui.

Sembrava volesse abbracciarmi.

Arrivò il cameriere a dirgli che all'interno del bar c'era qualcuno che voleva parlargli.

«I solito..., rompi-scatola? si dice?» ed entrò nel bar.

Mi guardai intorno per tirare il fiato.

El Mercado de Pulgas! Altro che pulci, son zecche queste. È impossibile che lo zio abbia tenuto una corrispondenza così fitta. E poi, perché Tosca non mi ha subito detto che lei e lo zio lo avevano adottato? Sarebbe stato motivo di orgoglio anche per lei. E perché il cognome Corona y Livi? E il nome Ghido come lo zio? Lo zio che scrive? Inverosimile. Però, se parla di lettere dello zio è perché le ha ricevute. Ma allora cosa c'è nella scatola di biscotti? Tosca ha esitato a darmela.

Ghido tornò e si sedette scusandosi del contrattempo.

«Da cuando està crisi economica, todos cercan solussioni finansiarie.»

Mi chiese dov'era l'amico con cui viaggiavo. Tosca quindi era stata prodiga di particolari.

Gli dissi che era rimasto in albergo perché indisposto. Fu sinceramente dispiaciuto. Voleva che gli raccontassi tutto dello zio e che ci vedessimo anche il giorno seguente. Avrebbe preso un giorno di permesso dal lavoro per stare insieme.

Gli spiegai che saremmo rimasti a Rosario solo quella sera e che per l'indomani avevamo già la partenza prenotata per Buenos Aires, dove avremmo concluso l'*excursion argentina*.

Come Tosca, volle sapere tutto di me, del mio lavoro, della famiglia, in che zona abitavo a Bergamo.

Mi meravigliai.

Si rivelò informatissimo sulla città, sulle sue vie dedicate ai personaggi storici più significativi, addirittura sulle tre *pelotas* del Colleoni con la *capilla* in Città Alta. Sembrava che ci avesse vissuto per anni, e tradiva una nostalgia del luogo senza mai averlo visto.

Mi chiese di cenare insieme, naturalmente dopo essere passati in albergo a prelevare anche Leonìno. Inventai due biglietti già acquistati per uno spettacolo di musiche pampere, in un teatro rinascimentale consigliatoci in albergo. Ebbi paura che smascherasse la bugia, ma la sua felicità era tale che si dimostrò sinceramente dispiaciuto che non potessimo stare insieme altro tempo.

Gli dissi che dovevo rientrare in albergo per vedere se Leonìno stava meglio.

Ci alzammo per salutarci. Solo allora il suo sguardo assunse un'espressione triste.

Giunto in albergo, diedi al portiere le cartoline da spedire.

Il treno arrivò puntuale a Buenos Aires alle nove e mezza di sera. Per raggiungere l'albergo ci volle più di un'ora. Il traffico era pauroso. Pensai a un'ora particolarmente caotica, invece si dimostrò costante, salvo che a notte fonda.

«Ti va bene stasera?»
«Benone, benone! Un ristorante dove si può anche ballare? È la fine del mondo!»
«Allora ti va bene?»
«Benissimo.»

Prima della partenza dall'Italia avevo promesso a Leonìno che, una volta sistemata la faccenda della Tosca e raggiunta Buenos Aires, dove avremmo soggiornato gli ultimi giorni di quella che ormai anch'io chiamavo «Avventura Argentina», gli avrei offerto una serata memorabile, senza limiti di spesa e di desideri.

«Se poi ci scappa anche una primavera...» aveva aggiunto mentre gli illustravo le varie tappe del viaggio.
«Se ci scappa...»
«E se ci resta proprio mentre... gli scappa la primavera?» Avevo pensato in Italia; ma da come si era comportato fino a quel momento, sarei schiantato io se solo avessi osato la metà di quanto aveva fatto lui.

Al mattino, mentre Leonìno mi aspettava all'ingresso dell'albergo, chiesi al portiere se poteva indicarmi un ristorante veramente argentino.

Gli feci capire che doveva essere un locale per il finale delle vacanze, dove si potesse gustare una autentica *comida* argentina e ballare finalmente il tango come Leonìno agognava; poi, impacciato, sottovoce, chiesi anche se ci fosse la possibilità di un fuori programma...

Il portiere mi suggerì di prenotare.

«Es un ambiente muy concurrido.»

Gli domandai se poteva farlo lui a mio nome.

Riagganciata la cornetta mi rifilò un bigliettino da visita del ristorante-tangheria con la sua firma sul retro.

Annusai l'intrallazzo, ma non avevo voglia di preoccuparmene. Di girare per la città in cerca di una serata argentina, non ne avevo proprio voglia. Se il portiere aveva capito, e l'occhiolino che mi fece lo confermava, sicuramente era il posto giusto.

«Apuesto y con traje cuidado, señor», aggiunse.

«Come?»

«Para la tarde, y la noche... elegante señor, elegante.»
Era più eccitato di quanto non lo fossi io.

Leonìno all'ingresso aveva colto l'animazione dell'ultima parte di conversazione e come lo raggiunsi si preoccupò di sapere.

«C'è qualche problema?»

«No, assolutamente. Ho solo prenotato per la "Serata Argentina" che ti avevo promesso.»

«È tutto a posto?»

«Certo! È tutto a posto. Per paura di sbagliare ho fatto prenotare a lui .»

«Allora è questa sera la grande notte?»

Per tutta la giornata mi seguì come un cagnolino, ossequioso, reverente e quasi in silenzio.

Aveva perso improvvisamente la baldanza dei giorni precedenti, come temesse non so quale disgrazia da un momento all'altro, che potesse compromettere la serata.

Solo l'ora, dalle quattro del pomeriggio in poi, gli sembrò sempre tarda per le cose che gli proponevo.

«Se pensi che facciamo in tempo...»

Mi sentii uno stronzo.

Non provavo nessun gusto a tenerlo sulle spine e smisi di tormentarlo col dubbio che mi fossi dimenticato quanto promesso e organizzato.

Come lui, avevo immaginato il soggiorno a Buenos Aires il giusto premio e spensierato riposo dopo la missione Tosca. Ma la matassa si era ingarbugliata da dopo il suo ritrovamento fino alla spina di Rosario, e tutto sommato Leonìno, con la sua unica preoccupazione della «Serata Argentina», era un piacevole disimpegno.

«Torniamo in albergo per cambiarci. Dobbiamo essere *lindis ed elegantis*, a quanto mi ha detto il portiere.»

«Pronti! Se si deve andare, si va.»

Scaricò la tensione di un fulmine, e con padronanza, alzò un braccio per fermare il primo tassì che passava. A bordo mi si avvicinò dandomi di gomito e sussurrando:

«Avrei voluto avere un figlio come te.»

208

Gli mancavano soltanto le scarpe di copale.

Non avrei immaginato che avesse in valigia un abito tanto fino; anni cinquanta naturalmente, ma che sembrava uscito da una stireria cinese. Doveva essere un vestito per le occasioni importanti.

Grigio scurissimo, con una sottile banda verticale di grigio più chiaro sui pantaloni. Dalla camicia, bianca immacolata, sbalzava una cravatta rosso veronese, trattenuta da un fermacravatta dorato.

Andava su e giù nella hall tra l'ingresso e il bancone della reception, a passi brevi e misurati; la mano sinistra in tasca, mentre l'altra, levata in aria, tratteneva la sigaretta accesa le cui volute di fumo parevano adeguarsi al gesto.

Sì, gli mancavano solo le scarpe resinate di copale, testimonianza fossile, la più pregiata, di un'epoca sensibile all'eleganza.

«Lo hai noleggiato?» gli chiesi con una punta di veleno indicando l'abito.

«No! È mio. Perché? Non va bene?»

«Benissimo! Ma così mi fai sfigurare.»

«Tu sei giovane, non hai bisogno di vestirti bene.»

Il ristorante tanghería si mostrò all'altezza delle aspettative.

Mi sollevò dall'ultima preoccupazione vedere appiccicate all'interno della doppia porta di ingresso una serie infinita di vetrofanie di carte di credito, tra cui quella che possedevo. Se il contante non fosse bastato avrei potuto usarla.

L'ambiente era sfavillante.

La sala all'ingresso, rettangolare, era molto ampia. Alcuni tavoli erano quadrati altri rotondi, tutti ben ordinati e apparecchiati. In mezzo, una lunga e stretta tavolata era imbandita di dolci e frutta che sembravano rincorrersi. Dal soffitto a cassettoni, altissimo, pendevano lampadari a gocce, di stile coloniale; la cui luce, riflessa dagli specchi che arrivavano ad altezza d'uomo, raddoppiava la luminosità del locale. Tra uno specchio e l'altro, le pareti portavano dipinti motivi bucolici e naturalistici. In fondo, un ampio arco dava in un'altra sala, spaziosa come quella all'ingresso; questa, circolare con al centro un parquet di legno scuro circoscritto in una cornice d'ottone, era l''aia' per chi voleva ballare.

La pedana, sulla quale giacevano silenziosi un mezza coda nero e un contrabbasso, interrompeva la serie di tavoli affiancati al muro lungo tutto il perimetro.

Una musica di tango sommessamente diffusa si perdeva nel locale.

L'eccitazione, che aveva ammutolito Leonìno per tutto il viaggio in tassì, esplose appena entrammo.

«Ostia, che bello!»

Il direttore di sala ci venne incontro. Gli mostrai il biglietto lasciatomi dal portiere. Dopo averlo letto ci fece cenno di seguirlo a un tavolo chiedendoci poi se era di nostro gradimento.

Era nella parte circolare dove si ballava, senza essere troppo a ridosso della pedana dell'orchestra. Mi sembrò un'ottima sistemazione.

Soltanto cinque tavoli erano già occupati e dall'aspetto delle persone, turisti come noi. La cosa non mi entusiasmò, facendomi pensare a quei locali che adescano i clienti negli alberghi compensando i portieri come procacciatori. Pochi tavoli avevano esposti i cartellini della prenotazione come il nostro.

Il direttore di sala lo aveva appena rimosso, il che, se non fossero arrivati altri clienti occasionali, mi fece contare una trentina di presenze in tutto. In quell'enorme ambiente, destinato ad almeno duecento persone, saremmo naufragati.

«Che posto da signori!» esclamò Leonìno.

«Ti piace?»

«Urca! Che fiera! Ahh, qui non si può più risparmiare.»

Per un attimo mi passò per la testa quanto ci sarebbe costata quella follia, ma ero contento di vederlo felice.

«Non so come sarà qui, per la faccenda della primavera» presi subito l'argomento di petto, «comunque, il portiere mi ha detto che è un locale frequentato da parecchie ragazze che amano ballare il tango.»

«Non fa niente, vediamo come si mette. L'importante è passare una bella serata, e il posto promette bene.»

211

Fecero appena in tempo a servirci dei piattini accompagnati da uno spumeggiante aperitivo, che nel locale cominciò una processione di gente che si accomodava dopo cordiali saluti con i camerieri. Tanta familiarità fugò la prima impressione.

In poco più di mezz'ora fu praticamente pieno.

Per evitare complicazioni scelsi il menù di degustazione, che si rivelò essere una sequenza infinita di piatti la cui abbondanza, dopo la quarta portata, congestionava solo a guardarli. Feci una rapida considerazione del costo indicato nel menù, bevande escluse, e conclusi che sarebbe stato il giusto prezzo per conservare un buon ricordo, almeno di Buenos Aires.

Tranne poche donne in abito bianco, eravamo tutti vestiti di scuro. Alcune di loro, molto belle, indossavano abiti da sera maliziosamente ornati di pizzi e merletti. Le scollature generose attiravano per il colore delle pelli, dal bianco latte al creolo. Non avevo mai visto tanto nutrimento così variopinto.

«Orca... son mica scampoli questi», commentò Leoníno dando occhiate a ogni tavolo dov'erano sedute delle donne.

«Non stare a ingozzarti, potrebbe farti male.»

«Ma io mangio piano piano, e gli bevo sempre sopra qualcosa. Mangio così da una vita e non mi è mai successo niente.»

«Alla salute!» dissi con una punta d'invidia.

Dopo mezz'ora, quando ormai tutti i tavoli erano occupati e i camerieri carambolavano di qua e di là, qualcuno avvertì i musicisti di affrettarsi alla pedana. Ognuno vestiva giacca da concerto. Al contrabbasso e al mezza coda stanziali in pedana, si unirono un violino, una fisarmonica, una chitarra e un bandoneon. Tranne il pianista, tutti si allacciarono la giacca.

Attaccarono una musica che in poco più di un minuto ammutolì le voci e i tintinnii delle stoviglie in tutta la sala.

Finiti gli antipasti Leonìno buttò giù l'ultimo goccio della bottiglia di rosso. Era prodotto nella regione di Salta che avevamo rinunciato a visitare. L'effetto alcolico musicò il ricordo dell'incontro con la Tosca e non so per quanti secondi rimasi assorto.

«È finita», disse Leonìno.
«Cosa?»
«È finita. La bottiglia è finita.»
Richiamai l'attenzione di un cameriere indicandogli il vuoto da sostituire.
«Hanno cominciato a ballare.»
«Vedo.»

Le coppie avvinghiate volteggiavano impressionando-mi. Mi aspettavo che i ballerini, stretti stretti, inciam-passero da un momento all'altro rovinandosi addosso.

Continuò la processione delle portate, alle quali, da quel momento, mi negai.

Leonìno mi guardò scandalizzato.

«Non ne posso più di mangiare», dissi risoluto.

«Ti perdi qualcosa però», rispose intingendo una pol-pettina in un sugo rosso scuro con affogati peperoncini lunghi e verdi, di cui captavo la piccantezza a distanza.

Del menù avevamo terminato i piatti di mezzo. Fortu-natamente, fecero una pausa prima di iniziare a servire il dessert.

Mi abbandonai sazio allo schienale della sedia guar-dando in alto. I cassettoni del soffitto erano velati dal fu-mo che salendo filiforme dai tavoli si assembrava poco dopo in una sola nuvola.

La gente conversava allegramente e quelli che si alza-vano dai tavoli portandosi sul parquet per ballare furo-no sempre più numerosi. Di tanto in tanto l'orchestrina inseriva tra i tanghi figurati un walzer, che tutti sembra-vano gradire, come breve tregua.

Erano ormai le undici.

Abbinarono al dessert un vino passito che avvolgeva ogni dolcetto lasciando sul palato l'invito a mangiarne un altro. Dopo averne assaggiati due, spinsi il mio piatto verso Leonìno che mi ringraziò con un cenno. L'orchestra fece una pausa di quindici minuti. I musicisti abbandonarono gli strumenti per raggiungere il bancone all'ingresso della sala dove si concessero un ristoro disturbato dai complimenti dei clienti. Il pianista rimase in pedana suonando pezzi internazionali da piano-bar.

Leonìno terminava con golosità i miei dolci e il mio passito, quando il direttore si avvicinò al nostro tavolo e piegandosi su di me, mi comunicò che due ragazze avrebbero gradito sedersi con noi.

Intorno c'erano altri tavoli liberi. Un colpo di cupidigia?

Feci un'espressione sorpresa.

Si piegò nuovamente, ricordandomi, con discrezione, un tacito accordo.

«Las chicas, señor!» sussurrò.

Il portiere dell'albergo non aveva provveduto solo a prenotare il ristorante.

Leonìno non aveva colto il colloquio col direttore e vedendolo appagato e satollo, decisi di inventare che si trattava di un malinteso del portiere; ma non feci in tempo.

«Cosa ti ha chiesto?» mi domandò, poggiando il bicchiere di passito e avvicinandosi curioso.

Lo fissai per un istante tergiversando con borbottii incomprensibili. Non sapevo che pesci pigliare.

«Ci sarebbero... due ragazze... che vorrebbero... sedersi al nostro tavolo», gli dissi senza slancio e senza entusiasmo, cercando di contagiarlo.

«Ostia! Sì, sì!» disse concitato al direttore che si allontanò all'istante per guidarle al nostro tavolo. Leonìno si alzò e abbottonandosi la giacca fece loro il baciamano, invitandole, a gesti, ad accomodarsi.

«Que tomais?» chiese il direttore.

«Sciampagn!» comandò Leonìno.

Il direttore mi guardò aspettando conferma dell'ordinazione.

«Esta bien champagne?» chiesi alle ragazze facendo il grande a mia volta.

«Hóla gringo, esta bien champagne!»

Il direttore si inchinò ringraziando e girando i tacchi si allontanò soddisfatto del servizio svolto.

Agli orchestrali tornati agli strumenti, si era aggiunto un cantante. Alternò al solo ballo alcune canzoni malinconiche che tutti ascoltavano senza ballare, esplodendo al termine dell'interpretazione in vigorosi applausi e grida di ammirazione.

Leonìno si lanciò nel tango, invitando alternativamente l'una e l'altra ragazza. A ogni sua richiesta, sempre più pimpante, si stupiva che accettassero senza farsi pregare; l'imbranato ero ancora una volta io. Mi scusai di non saper ballare, resistendo vivacemente alla disponibilità di lezioni estemporanee.

A ogni tornata Leonìno assumeva pose sempre più sicure e plastiche, raccogliendo i complimenti di entrambe. Mentre ballava, contrattai la primavera con l'altra ragazza, dicendole, però, che era solo per Leonìno. Fu gentile e non creò alcun problema.

Era l'una e un quarto, e decisi che la serata poteva finire lì, come era finito lo champagne nel secchiello. Le ragazze si allontanarono per ritoccarsi la toilette «al baño».

Dissi a Leonìno della contrattazione, e che la ragazza, a cui avevo già dato i dollari, così aveva preferito, sarebbe andata con lui in tassì. Gli diedi poi altri venti pesos per il tassì di ritorno in albergo.

Le ragazze tornarono ricomposte.

Chiesi di attendermi un momento, prima di uscire insieme. Andai a mia volta in bagno, dopo aver chiesto al direttore, incrociato al bancone, di prepararmi il conto. Di ritorno mi fermai per pagare. Scorrendo le voci del totale, notai che aveva conteggiato due bottiglie di champagne.

Feci notare con il giusto tatto l'errore, sicuramente involontario.

«Son dos los champagne», disse indicandomi il nostro tavolo tra la gente che ancora ballava.

Leonìno riempiva i bicchieri delle ragazze. Lo sguardo del direttore aveva un'espressione più sconsolata della mia.

«Ne ho ordinata un'altra intanto che ti aspettavamo.»

«Hai fatto bene, hai fatto bene.»

Fu un saluto tra stranieri quello che ci scambiammo.

La ragazza e Leonìno montarono sul primo tassì della fila in sosta, davanti al ristorante. Io e l'altra ragazza li osservammo sparire nel traffico. Ci guardammo poi per un lungo attimo, in silenzio. Non c'eravamo neppure presentati.

«Ti chiami Tosca?»
«Rosa. Rosa Fernanda!»
«Peccato!»

Allargò le braccia. Con un dolce sorriso sospirò al posto mio il «punto» di fine serata. Le tesi la mano per salutarla. Me la prese con tutte e due le sue, dandomi un materno bacio sulla bocca.

«Ci-aa-o! Gringo italiano.»
Partito il suo tassì, avrei voluto cambiare il programma.

Il telefono della camera doveva squillare da parecchio, all'altro capo la voce si lamentò spazientita quando alzai il ricevitore.

«Ah ci sei allora?» sentii nella cornetta.

«Come ci sono? Ma chi parla?» chiesi con gli occhi ancora chiusi.

«So me. Leonìno», disse in bergamasco.

«Cosa ci fai al telefono? Da dove chiami?»

«Da qui sotto. Dall'albergo.»

«Ma che ore sono?»

«Sono quasi le otto, e sono qui, nella portineria dell'albergo.»

«E perché non sali su?»

«Dovresti scendere tu, con dieci pesos.»

«Come con dieci pesos? Non capisco!»

«Ti spiego dopo. Vieni giù per favore. Ti aspetto.» E riattaccò il ricevitore.

Nella stanza buia, solo uno stretto spiraglio di luce che trafiggeva l'imposta chiusa male spergiurava l'ora mattutina.

Mi sedetti sul letto prendendomi la testa tra le mani cercando di capire perché avesse bisogno di dieci pesos. Mi infilai i pantaloni e un maglione. Calzai le scarpe. Frugai nella giacca prendendo il portafoglio.

Nella hall il portiere conversava con un signore e poco lontano Leonìno dava un contegno all'abito fumandosi una sigaretta. Quando mi vide alzò il braccio, indicandomi con l'indice destro, mentre con l'altro mi rimandava all'uomo in compagnia del portiere.

«Hai portato i pesos?»

«Sì. Certo.»

Mi prese sottobraccio tirandomi verso i due che smisero di parlarsi.

«Devi dargli dieci pesos», disse indicandomi il tipo.

Presi dal portafoglio un pezzo da venti e glielo porsi; questi, estraendo il portafoglio dalla tasca posteriore dei pantaloni, mi diede il resto.

«Muchas gracias señor.»

Il portiere si era appartato e lanciava occhiate di tanto in tanto.

Mi ero alzato, vestito, ero sceso nella hall in catalessi, e non mi rendevo conto di cosa fosse accaduto.

«Ma chi era quello lì?»
«Il tassista.»
Non connettevo.

Risalendo in camera mi vidi nello specchio dell'a-
scensore. Ero sgualcito; non di meno Leonìno in totale
silenzio.
    «Cosa è successo?» gli chiesi.
    «Avevo finito i soldi.»

L'ascensore arrivò al piano della nostra camera ma
nessuno dei due accennava a uscire. Aspettavo una spiegazione, senza pretenderla, e quando s'accorse che non
c'era nessun risentimento, aprì le ante, la porta, e si avviò verso la camera.

«Cosa facciamo oggi?»

«Perché? Tu a quest'ora cosa intenderesti fare?»

«Io seguo i tuoi programmi.»

«Ma i miei programmi sono anche i tuoi.»

«Allora facciamo quello che vuoi tu», disse sbrogliandosi dalle cortesie. «Sono pronto se vuoi.»

«Come sei pronto?» dissi spazientito.

Il mio scatto improvviso lo zittì.

«Scusa se ti ho svegliato così presto.»

«Ma non c'entra la sveglia! Sei lì che sembri uscito da una lavatrice, probabilmente hai dormito poco, occhi rossi, tutto stropicciato; magari hai bisogno tu di riposare! E poi ti avevo dato i soldi per il tassì! Che fine hanno fatto?» Figuriamoci se mi interessava dei venti pesos.

Si tolse la giacca appoggiandola senza riguardi sul letto ancora intatto, si sfilò dai pantaloni il resto della camicia che non era ancora fuori, mi si avvicinò circospetto afferrandomi il braccio come dovesse comunicarmi la segretezza di un'azione guerrigliera.

«Glieli ho dati di mancia.»

Mi fissò negli occhi aspettandosi l'illuminazione che l'ora, le circostanze, la situazione ormai ridicola mi impedirono. Organizzai le idee al meglio immaginando ciò di cui non ero stato testimone; mi prese nuovamente il braccio e tirandomi furtivamente verso di lui:

«Se li è meritati, poverina. Ti racconto tutto.»

«È l'ultima cosa che voglio sentire!» dissi avviandomi

al bagno, «ora mi faccio una doccia, mi vesto, ed esco a prendere delle informazioni per i prossimi giorni. A tua volta, ti dai subito una risciacquata e te ne vai a letto a dormire.»

«Ma guarda che, con una doccia e un caffè, io sono subito pronto. Dammi solo una mezz'oretta», replicò contraendo uno sbadiglio che gli dilatava le ganasce.

«Tu ora fai come ti dico e non discuti, e se mi rimbecchi ancora una volta ti... anzi ti faccio... cioè ti prendo...» Ma non mi venne nessuna ritorsione, nessuna vendetta, nessuna rappresaglia.

In bagno, dopo aver sbattuto la porta, essermi denudato per la doccia, mi prese un'irrefrenabile ridarella.

«E la coca... le primavere... il maglione... il mùcio-mùcio delle sei... e la sua mancia del pippolo. E io che gli ho fatto fare l'elettrocardiogramma.»

Passeggiai tutta la mattinata.

Ritornato in albergo verso mezzogiorno, stavo per salire in camera quando vidi che la chiave non era appesa nel casellario. Leonìno quindi non era ancora sceso o uscito dall'albergo. Mi affacciai al salone per controllare se per caso fosse lì. Non c'era. Domandai ai portieri se l'avessero visto uscire, ma anche loro, controllando nel casellario delle chiavi, dissero che probabilmente era in camera. Salii.

Sulla porta, era appeso il cartello: «Do not disturb».

«Ma guarda te che razza.»

Mi fulminò il ricordo dello zio, che mi aveva chiesto la stessa scritta in inglese da appendere al letto dell'ospedale quando ormai la morfina gli lasciava rari spazi di veglia.

Combinazioni.

Era mezzogiorno passato da poco. Impugnai la maniglia aprendo la porta silenzioso.

La luce che entrava dalle griglie segava a tranci il corpo di Leonìno che dormiva sotto il lenzuolo. Evitando ogni rumore mi recai in bagno. Mi sedetti sul bordo della vasca pensando a cosa fare.

Decisi di continuare la passeggiata.

La tela della borsa da viaggio accostata al mio letto segnava la sagoma della scatola di biscotti della Tosca con le cose dello zio. Mi avvicinai, tirai fuori la scatola, tornai sui miei passi e aprii la porta quel tanto che bastava per uscire in corridoio.

Se qualcuno mi avesse visto mi avrebbe preso per un topo d'albergo.

Scesi nel salone e ordinai a un cameriere di servirmi un caffè e dell'acqua minerale. Mi sedetti su una poltrona nell'angolo più isolato e appoggiai la scatola sul tavolino.

Arrivò il barman con l'ordinazione. Il caffè era disgustoso.

Presi tra le mani gli estremi del coperchio facendo leva con i pollici, dal basso in alto, per schiuderlo. Resistette alla pressione finché un rumore di sasso nell'acqua stagnante mostrò un sottile pertugio. Levai completamente il coperchio.

Vi era solo una busta, e nella busta un bracciale di legno e un cartoncino. Rimasi di stucco.

Il bracciale, di modesta fattura artigianale, portava incisa all'interno una data. Lo rimisi nella scatola. Estrassi il biglietto. Le tre righe concludevano:

'...se aspetti un figlio vengo e ti sposo.'

Da vivo si era nascosto come se la natura l'avesse mortificato con qualche malefico sortilegio, un malocchio da occultare, e pareva continuasse a non voler lasciare di sé che briciole. Le lettere della Tosca, che le avevo reso, erano un pacchetto ben più nutrito. Lui: una.

Ero sconcertato.

Mi vergognai di averle fatto visita, di averle portato la notizia della sua scomparsa, la scomparsa di un amore, che l'aveva liquidata a quel modo. Ora capivo perché mi guardava disincantata.

Cosa avevo mistificato?

Fu necessario qualche minuto per riprendermi. Bevvi
l'acqua. Mi sembrò salata.

Non sapevo cosa fare; se aspettare Leonìno, se svegliarlo per pranzare insieme, se pranzare da solo o an-
darmene in giro per Buenos Aires. Era l'una e un quarto. La scatola sul tavolino era ancora aperta. Pensai: se lì
in Argentina era stata custodita per quasi quarant'anni,
poteva rimanerci.

Per richiuderla dovetti forzare il coperchio che non aveva più intenzione di incastrarsi. Chiesi al portiere di chiamarmi un tassì.

«Al bárrio Palermo por favor.»

Partito spedito dovette frenare dopo un chilometro
per il solito traffico.

I giardini del quartiere Palermo erano i più belli e ri-
gogliosi della città. Inoltre, come avevamo notato visi-
tandoli nei giorni precedenti, terminavano sul Rio de la
Plata con un terrazzamento che ricordava molto i lun-
golaghi di Lombardia.

Visto il caos, il tassista pensò bene di prendere una via
laterale dove, allungando di poco il percorso, trovammo
meno traffico.

«Donde señor?»
Gli chiesi di accostare appena possibile sul lungofiu-

me o lungomare, indecifrabili nel delta. Si fermò. Gli feci cenno di aspettarmi il tempo di una consegna. Il terrazzamento saliva tre gradini dalla strada. Raggiunsi la balaustra sull'acqua e scagliai la scatola di biscotti nel fiume-mare. Mi sembrò di perdere il braccio. Credevo affondasse in fretta, invece galleggiò trasportata dalla corrente; ma non mi fermai per vederla sparire. Tornai al tassì.

«A l'hotel, por favor.»

Leonìno mi venne incontro con passo vigoroso, mentre il tassì che mi aveva lasciato davanti all'albergo ripartiva. L'aspetto curato e fresco diceva che aveva reimbastito le scuciture della nottata.

«Ostia, Valerio. Dove sei finito?»

Uscendo dall'albergo come un turbine non avevo avvertito il personale di dire al mio compagno di stanza, se avesse chiesto mie notizie, che sarei tornato subito. Era quindi esagitato, spaventato.

«Leonìno, cosa succede?»

«Ero in pensiero per te!»

«Per me?»

«Quando mi sono svegliato e non ti ho visto nel letto ho pensato che fossi in bagno, ma quando ho visto che non eri nemmeno lì... le ho pensate tutte.»

«Tutte quali?»

«Tutte, tutte! Che ti eri perso... che avevi avuto un incidente... che...»

«Che ti avessi abbandonato?»

Mi fissò con due occhi da cocker.

«No, questo no. Ma pensavo che fossi ancora arrabbiato.»

«Be', ora sono qui. E poi, non sono per niente arrabbiato, anzi sono contento che ti sia divertito. Davvero! Ho solo voluto che riposassi un po', che ti riprendessi dal turno di notte. E vedo che hai recuperato alla grande.»

«Sai ma... sapessi che paura. Ho dovuto bermi un paio di bicchieri per riprendermi dallo spavento.»

«Tranquillo Leonì, non riuscirei mai ad abbandonarti. Che dici se mangiamo qualcosa qui in albergo e poi vediamo il da farsi?»

«Non sapevo come chiedertelo. Ho una fame!»

Rientrò in albergo dirigendosi al ristorante senza neppure aspettarmi, ma mi ero ormai abituato, anche se continuava a sfuggirmi qualcosa di lui, come molte cose dello zio a quanto pareva.

Si era già seduto a tavola e sbocconcellava del pane, inzuppandolo nel vino, prima di metterlo in bocca.

«Buon appetito!» dissi sedendomi.

«Scusa Valerio, ma se non mettevo subito qualcosa sotto i denti sarei svenuto.»

«El menù del día por favor.»

«Cos'hai ordinato?»

«Il menù del giorno! Quello che hanno cucinato oggi. Così non dobbiamo stare a scegliere.»

Continuava a sbocconcellare famelico, lanciandomi occhiate che indagavano sul mio stato d'animo; ma non ero arrabbiato. Anzi, una serenità inattesa aveva fugato ogni meraviglia sulla scatola dello zio dandomi la certezza di avere definitivamente concluso tutto. Dopo averla gettata, la turbolenza che mi aveva scosso si era placata e il braccio funzionava perfettamente.

Gli riempii il bicchiere di vino prosciugato dai bocconi di pane.

Il cameriere ci servì l'antipasto.

Leonìno inghiottì l'ultimo boccone di pane zuppo e affrontò la portata; ma per la prima volta, in due settimane, appoggiò le posate al piatto assumendo un'aria grave e seria, e tirò un sospiro profondo, che mi preoccupò. Mi guardava fisso, indeciso, era evidente, se dirmi qualcosa. Feci un rapido inventario di cosa potevo avergli fatto mancare.

Con me, in Argentina, l'avevo portato, la Tosca l'avevamo rintracciata, il treno delle nuvole l'avevamo preso, la primavera promessa era fiorita; non riuscivo ad immaginare cosa mancasse.

«Ti sei offeso per stamattina?» dissi. «Scusami se sono

231

stato brusco, ma ero appena sveglio, e comunque non c'era nessun rimprovero in quello che ti ho detto. Forse sono un po' nervoso, un po' stanco. Ma non volevo assolutamente offenderti.»

«No! È un'altra la faccenda. Tu non c'entri niente. Anzi, non saprò mai come ringraziarti per tutto quello che hai fatto. Mi hai trattato come un pascià e fatto sentire un trentenne come te. Chissà se mi capiterà più una cosa simile!»

Mi sentii tranquillizzato. Sembrava però aver perso l'appetito. L'antipasto, sconsolato, giaceva davanti a lui.

«Che c'è allora?»

Scostò in avanti il piatto, appoggiò le braccia conserte sul tavolo e allungò la testolina verso di me.

«Mentre eri via, sono uscito dall'albergo e ho fatto una breve passeggiata; appena qui dietro, alla Buca, alla Boca, insomma quello che è... un'india mi ha letto la mano!»

Rimasi con la fetta di salame infilzata sulla forchetta. Mi guardava chiedendomi l'invito a continuare.

«E cosa è successo?»

«Mi ha letto la mano, e mi ha detto che qui in Argentina ho trovato l'amore.»

«L'amore?»

«Sì. Quello vero!»

«Un'india?»

«Sì!»

«E che lingua parlava?»

«Quello non l'ho capito, ma ho capito quello che ha detto.»

«Oh santa madòna! Leonìno!?»

«Straordinario vero?»

«E quanto ti ha pelato?»

«Niente, non ha voluto soldi, era tanto contenta che non ha voluto niente.»

Con l'antipasto avevano servito dei rapanelli. Ero indeciso se tirarglieli uno a uno o tutti insieme. Sembrava aver vinto al lotto. Scossi la testa per rimescolare le idee in modo che capisse la mia sorpresa. Lo guardai insistentemente, attirando così la sua completa attenzione.

«E quale sarebbe il vero amore? Quello di Salta o quello di ieri sera?»

«Noo, quello di Salta no, era un po' bassa per i miei gusti, e poi fumava. Ne ho già uno di amore che fuma.»

«Perché? Mùcio Mùcio non fuma?»

«Ma lei non è argentina. Deve essere la signora di ieri sera.»

«Quella che ti ha stropicciato fino a stamattina?»

Mi guardò serafico senza fare una piega.

«Deve essere quella!»

L'ardore, con il quale aveva sempre mangiato, si era spostato dallo stomaco al cuore. Provai a ricordarmi adolescente con gli spasimi del primo amore. Non ci riuscii.

«E cosa avresti in mente?»

«Sarà difficile rintracciarla?»

«La ragazza con cui sei uscito ieri sera?»

«Sì. Lei.»

Per la prima volta in quindici giorni calò tra noi un silenzio naturale. Non riuscivo a provare meraviglia per il suo viso che si era trasfigurato in quello di un beato, un mistico; da tanto era rapito.

«Scusami Leonìno, possiamo finire di pranzare e poi eventualmente ne riparliamo?»

Mi rispose con un sorriso condiscendente, avvicinò il piatto che aveva scostato in avanti e riprese a mangiare.

L'ardore, dal cuore, tornò al suo posto.

I tre giorni successivi, gli ultimi, furono sereni.

Buenos Aires si dimostrò più affascinante di quanto non avessi immaginato.

La parte vecchia della città, dove albergavamo, si mostrò nel suo splendore e nella sua miseria. La voglia però di ritornare a casa si faceva sempre più forte e le cose che visitavamo, ogni giorno più noiose.

Ogni giorno pensavo a Tosca, e faticai non poco per resistere alla tentazione di telefonarle e chiederle se fosse stata lei, come sospettavo, a scrivere le lettere al bancario di Rosario.

Leonìno si era placato; del 'vero amore', presagito dall'india, non aveva più parlato, e salva la meraviglia esclamata per ogni cosa che vedeva, fu più amabile dei giorni precedenti. Inceneriti i cinque milioni che mi aveva affidato, a ogni mio richiamo alla moderazione si preoccupava solo che non fosse esaurita anche la carta di credito, che ancora non capiva come potesse pagare tutti i conti, e scoperta la sua funzionalità si era lasciato andare a compere e consumazioni, spendendo, come un principe ereditario, ben oltre il testamento.

«Tieni il conto... quando siamo a casa ti do la differenza.»

Comprò ricordi per tutti: la moglie, le figlie, i fratelli e le cognate. Ogni volta mi chiedeva se quanto stava ac-

234

quistando era il ricordo giusto, e ogni volta gli dicevo
che mi sembrava eccessivo e lo invitavo a non esagerare.

«Lo so, lo so, ma mi sa che alla mia età non ci vengo
più in Argentina.»

«Ma se sei sano e forte come un torello.»

«Eh torello... una volta forse.»

Arrivò l'ultimo giorno.

L'aereo per Madrid partiva alle sedici e trenta. Liberata la camera, lasciammo i bagagli in portineria chiedendo di poterli ritirare nel primo pomeriggio.

Pranzammo in un ristorante con i tavoli all'aperto. La temperatura primaverile sembrava quella di una giornata d'aprile delle nostre parti.

«L'unica cosa che manca qui è il caffè come il nostro», disse appoggiando la tazzina.

Una penosa commozione ci colse entrambi, e sembrò per un attimo che ogni cosa intorno tacesse.

«Oggi si torna!» dissi.

«Pota! Per forza!»

Finito di stampare nel mese di gennaio 2005
presso il Nuovo Istituto Italiano d'Arti Grafiche Bergamo